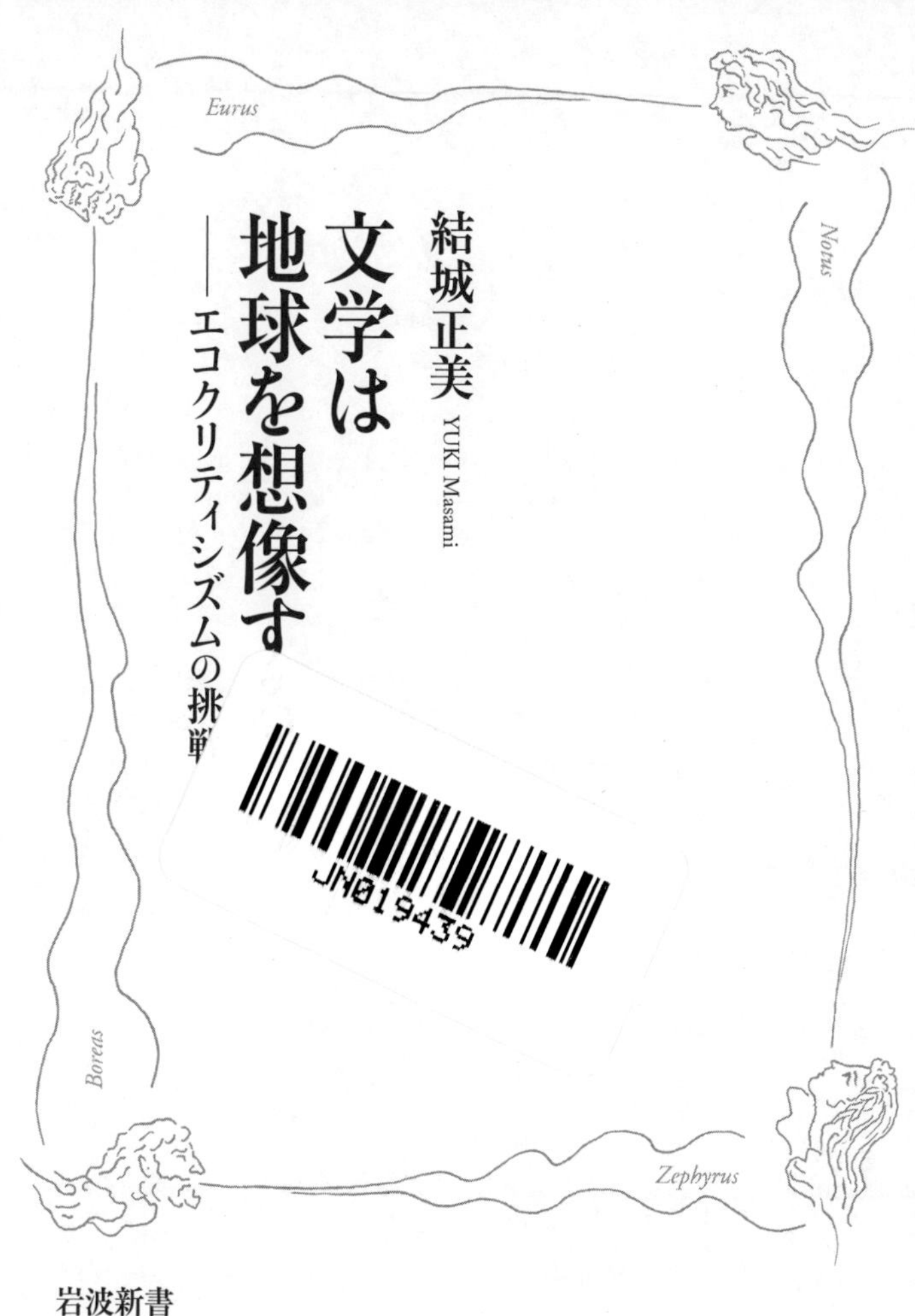

文学は地球を想像す

――エコクリティシズムの挑戦

結城正美
YUKI Masami

JN019439

岩波新書
1988

まえがき

想像力の危機は環境の危機

はじめて訪れた場所で、人はどうすべきだろうか。そもそも何も気にせず自分のしたいようにする人もいるだろうし、どうすればその場所になじめるかを考える人もいるだろう。アメリカの作家バリー・ロペスがアラスカで出会った先住民は、知らない土地に来たらまず「耳を傾ける」という。ここに来たのには理由があり、自分はこうしたいのだが、それについてどう思うかと土地にたずねるというのである。言うまでもなく、これは新世界に自らの欲望を押しつけ侵略したヨーロッパ人の態度とはまったく異なる。

土地や海に「意見を求める(propose)」ことは、自らの欲求を「押しつける(impose)」のとは対照的な行為である。もちろん意見を求めるといっても、土地や海は人間の言葉を話すわけではない。しかし、だからといって、人は環境と対話できないと考えるのは短絡的だ。ノーベル賞受賞作家J・M・クッツェーは、『動物のいのち』(一九九九年)で理性の限界に言及し、「他の存在の立場になって考えてみられる範囲に限界はありません。共感的な想像力に限界はないのです」と記している。「共感的な想像力」は、人間と環境を分け隔てる理性的思考に囚われず、環境へと分け入ることができる。

環境の危機とは、突き詰めれば、想像力の危機である。森林伐採の破壊的な進行は、市場価値の高い作物のプランテーションにするために森を切り開いたらどうなるかを想像しなかった、あるいはできなかった、いや、それ以前に、森がどう思うかということに想像力が及ばなかったからにほかならない。同様のことは、工場排水の垂れ流しによる水質汚染、生産性向上のための化学肥料の使用による土壌の衰弱、大量に生産・消費・廃棄されるプラスチック製品による海洋汚染やマイクロプラスチック問題をはじめ、枚挙にいとまがない。環境問題は、海や土や森や大気への「共感的想像力」の欠如が招いた結果だといっても過言ではない。

物語の力

意外だと思われるかもしれないが、環境問題への一般的関心の高まりには文学が関わっている。たとえば、アメリカではレイチェル・カーソン『沈黙の春』(一九六二年)が、日本では石牟礼道子『苦海浄土』(一九六九年)が契機となり、環境問題への意識が高まり社会が動いた。文学が環境への想像力を喚起したのである。

環境への関心は自然と生じるわけではない。実体験、身近な人の話、心を揺さぶる読書体験など、無関心が関心へと変わるきっかけは人によってさまざまだろうが、共通するのは物語（ストーリー）のはたらきである。問題となっている事象が実感を伴うかたちで意識化されるとき、つまり自分ごととしてとらえられるとき、そこには物語が介在している。物語は他者への共感を促し、活動的な生による一つの世界の制作へ誘うのである。

とはいえ、物語であれば何でも実感や共感をもたらすというわけではない。「実感」という言葉は、英語では make sense（「意味を成す」という意味）がそれにあたる。環境思想家デイヴィッド・エイブラムによれば、真に「意味を成す」物語は、「感覚を活性化する（enliven the senses）」。物語によって感覚が呼び覚まされ、頭でわかるというよりも身体の芯から納得する――文字どおり、腑に落ちる――とき、私たちは実感をもって問題と向き合いはじめる。知ってはいても、遠くの出来事だったりスケールが大きすぎたりして実感がわかなかった問題に関して、想像力がはたらきはじめるのだ。

高度経済成長の負の遺産である四大公害病については、誰もが教科書で学んだ程度の知識をもっているが、このうち水俣病だけが今もなおアクチュアルな問題として論じられているのは、水俣病問題が『苦海浄土』というすぐれた物語を得たからではないだろうか。『苦海浄土』で石牟礼は、チッソ水俣工場が象徴する「近代」という「途方もない化物を心やさしい物語り世界に編み替えて魂を吹きこ」んだ(石牟礼、イリイチ)。文学的技巧を駆使して水俣病問題が腑に落ちる世界を仕立てたからこそ、『苦海浄土』は出版から半世紀以上経った現在でも人びとの心を揺さぶり、共感的想像力を掻き立てているのである。「有機水銀を何とかして表現したかったが、実に非文学的でなじまなかった」という石牟礼の回想にうかがえるように、水俣病問題が腑に落ちる物語は、試行錯誤を経て結晶化した文学的想像力の産物にほかならない。

本書の構成

こうした文学と環境の関係を研究するのがエコクリティシズムであり、本書はその実践の一端を示すものである。

エコクリティシズムは、一九九〇年前後のアメリカで若手文学研究者を中心に生み出された批評理論である。二〇一〇年代後半、若き気候変動活動家グレタ・トゥーンベリは、議論を重ねるばかりで一向に腰を上げない社会に対してアクションを起こした。エコクリティシズムも、地球環境問題に何の反応も示さない旧態依然とした文学研究に疑問をもった研究者が、「環境」という視座を文学研究に導入したことで生まれたのである。それから三十年以上が経つが、エコクリティシズムは落ち着くどころか多様に変化し続けている。それはこの研究分野における環境のとらえ方の変化とも関わっている。エコクリティシズム形成期は、〈自然〉とりわけ原生自然（ウィルダネス）に関心が向けられていたが、その後、環境問題は人種差別や経済格差といった社会問題と切り離せないという認識が広がるにつれ、都市を含む〈環境〉に研究関心が移っていった。二一世紀に入ると、地域固有（ローカル）の環境問題に国境横断的（トランスナショナル）な影響力を読み取る視点が顕著になった。気候変動や人新世に関する議論が進む現在、従来の地球観を更新する〈惑星〉をめぐる文学が着目されている。

序章では、そうしたエコクリティシズムの概要を示す。多少学術的な内容になるが、混同されることの多い「エコクリティシズム」と「環境批評」のちがいや、エコクリティシズムの主な特徴など、要点を押さえておこう。

続く四つの章はエコクリティシズムの実践編で、自然→環境→惑星へと展開する研究関心をたどるかたちで、具体的に文学作品を読み解いていく。

1章では、工業化による自然破壊と人間性の剥奪に警鐘を鳴らしたヘンリー・D・ソローと、科学知と感受性（エスセティックス）の融合を説いたアルド・レオポルドの作品を取り上げ、野性への関心の深まりが意味するところを考察する。工業化の進展に伴う自然と人間性の侵蝕に関しては、ソローに先んじて文学的応答を繰り広げたウィリアム・ワーズワスなどイギリスロマン派詩人を検討すべきなのだが、これについてはジョナサン・ベイト『ロマン派のエコロジー――ワーズワスと環境保護の伝統』（小田友弥・石幡直樹訳、松柏社、二〇〇〇年）に詳述されているので、本書では割愛する。

ソローとレオポルドは町から離れた場所で野性をめぐる思索を深めたが、野生の自然は資源開発や戦争といったかたちで絶えず人間社会の暴力にさらされている。2章前半では、アフリカとアメリカの国立公園を、野性と社会分裂の関係から比較考察する。自然と都市の二項対立的構図に収まらない自然観は、二〇世紀後期に顕著になった都市のなかの自然（アーバンネイチャー）という発想にもうかがえる。2章後半では、灰谷健次郎『兎の眼』の塵芥処理所、カレン・テイ・ヤマシタの描くロサンゼルスを、都市のなかの自然（アーバンネイチャー）という見地から読み解いてみたい。

3章では、環境用語として定着している「共生」に焦点を当て、ふだん何気なく使っている共生という言葉が何を指しているのか、共生とはじつのところ何なのか、ということを、生物多様性国家戦略のレトリック、石牟礼道子『苦海浄土』にみる里山・里海、梨木香歩の描く節度ある暮らしを読み解きながら考えてみたい。

4章では、人間が地球環境に激甚な変化をもたらす地質学的脅威となった時代――人新世とよばれる状況――に対する文学的応答を、放射能汚染、人工知能(AI)、惑星思考といった切り口でみていく。

そして、最後に、それまでの内容をふりかえりながら、危機とともに生きざるを得ない現在の状況に対する文学的応答を概観する。

なお、本書を入り口としてじっさいに作品を読んでもらいたいという思いから、各章で分析する作品の選定は日本語で読めるものを優先した。本文中、書名の後に記した出版年は原書の初版刊行年である。日本語以外の言語で書かれた文学作品は、日本語訳がある場合は基本的にそれを使用したが、原書にもとづき改変して引用した箇所があることをお断りしておく。また、引用における中略は〔……〕で示した。

地球の平均気温がこのまま上昇しつづければ、熱波、洪水、旱魃(かんばつ)、砂漠化、山火事などの災害が激甚化し、地球における居住可能性が危ぶまれることが科学的に検証されている現在、明るい未来を想像することは容易ではない。これはとりわけ若い人たちに顕著で、二〇二一年に世界一〇ヶ国の一六歳から二五歳の一万人を対象に実施された気候変動に関する意識調査によれば、七五%が未来に恐怖心をもち、五九%が著しい不安を抱いているという(Hickman, et al.)。そのような暗い現実がある一方で、学生をはじめ若者と日常的に接していて思うのは、進歩の物語が終わった後に生まれた人たちには経済成長にとらわれない発想があるということだ。ある二〇歳前後の青年が言うには、経済的に豊かな社会は比較対象にならず、求めるべき社会の姿でもない。かれらのデフォルトに危機の時代を生きる思考の種(たね)があるのだとしたら、文学は、その種を育てる養分になるだろう。そのためにも、今エコクリティシズムの見地から文学を読むことに意味がある。

文学を通して地球との向き合い方を考えるのは悠長だと考える向きもあるかもしれない。たしかに文学には、法律や政策のような実効性はない。けれども、意味を成す物語に接してはじめて実感をもって現実と向き合えるのだとすれば、そこに文学特有の実効性があるのではないか。むろん、人の心を動かす文学的効力は、強い情動的反応を引き起こしもし、ひとたび情念が暴走すれば全体主義につながる危険性を併せもつ。個々人の腑に落ちる小さな物語にも、イデオロギーと手を組む大きな物語にもなりうるというきわどいところで、文学は自然、環境、地球をどのように想像しているのか。その一端を本書で示したい。

目　次

章扉絵：Misa Raker

序章　エコクリティシズムの波動

環境危機と文学研究

「エコクリティシズム（ecocriticism）」は、「エコロジカルな文学研究（ecological literary criticism）」の略で、「文学と物理的環境の関係についての研究」（グロトフェルティ）と定義される。漠然とした定義にみえるが、後述するように、この間口の広さがエコクリティシズムの最大の特徴だ。

文学と物理的環境の関係といっても、具体的にイメージしづらいかもしれない。「物理的環境」だけみても、自然環境、生活環境、地球環境などさまざまだ。「文学と物理的環境の関係についての研究」がどういうものなのか、いくらかイメージをもってもらうべく、よく言及されるエコクリティシズムの単著書タイトルをいくつか挙げてみたい。『新世界の緑の胸――風景、ジェンダー、アメリカ小説』、『人種と自然――超越主義からハーレム・ルネサンスへ』、

『場所の感覚と惑星の感覚――グローバルなるものをめぐる環境的想像力』。ほんの一例だが、ここに挙げたものからだけでも、ジェンダー、人種、想像力、文化という観点が際立っていることがわかるだろう。私たちが「自然」や「環境」とよぶものは、けっして自明ではなく、ジェンダーや人種などさまざま要因が複合的に絡んだ文化的構築物なのである。

文化的構築物というとむずかしく聞こえるかもしれないが、要するに、社会の〈ふつう〉は〈つくられたもの〉であるということだ。これは自然や環境に限らない。たとえば、家族という概念も自明なものではない。家族は男女の結婚にもとづくという発想が、LGBTQ+や事実婚という見地から見直しを迫られ、〈ふつうの家族〉という社会的幻想を解体する動きが進んでいる。とはいえ、同性婚や事実婚の合法化はなかなか進まない。〈ふつうの家族〉という思い込みはかくも根深いのである。同様に、自然や環境と思われているものも、特定の価値観にもとづいてつくられた概念であり、価値観と言葉は強力にタッグを組んでいるため、ほぐすのは容易ではない。

エコクリティシズムは、ときに相反するようにもみえる多様なスタンスやアプローチを擁するが、そのいずれにも共通する動機がある。それは、「人間の活動が地球の基本的な生命維持システムに破壊的影響を及ぼしつつある時代であるということからくる不安」だ(グロトフェルティ)。

環境危機を背景にしているといっても、エコクリティシズムは環境保護を主張する運動とは異なる。「エコ」という言葉が「地球を守ろう」とか「自然にやさしい」といったスローガンを即座に連想させるほど記号化しているため、エコクリティシズムはそういった主義主張に同調していると思われがちだが、むしろ、そうした主義主張を解体することがエコクリティシズムの仕事である。「地球を守ろう」というときの「地球」とはどのような見地からとらえられているのか、「自然にやさしい」という主張はどのような価値観にもとづいているのか。こういった問題に文学研究の見地から斬り込むのである。

エコクリティシズム宣言

エコクリティシズムは、文学研究に地殻変動を起こしたといっても過言ではない。

従来の文学研究は、もっぱら人間関係や個人の内面に関心が向いていた。二〇世紀半ば、公民権運動やフェミニズムの興隆とともに社会的弱者に文学研究の関心が向けられ、ジェンダーや人種に焦点を当てた新しい文学批評理論が生まれたが、テーマは依然として人間に関することだった。その頃、世の中では環境の問題が大きく取り上げられ、一九七〇年にアースデイ創設、一九七二年に環境問題に関する世界初のハイレベル政府間会議が開かれ、一九八八年には『タイム』誌が特集する、その年の出来事に最も影響を与えた人物等に「危機に瀕した地球」が選ばれたが、当時の文学研究は環境の問題に無関心だった。

これはおかしい、人種やジェンダーと同じように環境が重要な社会問題となっているのに、なぜ文学研究はそこに目を向けないのか。そう疑問に思ったアメリカの大学院生たちがエコクリティシズムの動きをつくっていった。中心にいたシェリル・グロトフェルティやスコット・スロヴィックのはたらきかけにより、一九九二年に学会(ASLE〔アズリー〕/文学・環境学会)が設立され、その翌年に学会誌が創刊された。「エコクリティシズム」という用語自体は一九七八年のウィリアム・ルーカートの論文「文学とエコロジー——エコクリティシズムの試み」が初出だが、文学研究として公認を得たのは学会誌が創刊された一九九三年だとされる。

エコクリティシズム宣言というべき一九九六年の論考で、グロトフェルティはこう述べている。文学研究の重鎮スティーヴン・グリーンブラットらの共編による当時最新の文学研究の手引書『境界線を引き直す——英米文学の変容』(一九九二年)には、環境という視点がまったくみられなかった。それは——

文学研究が、「見直しの動き」にさらされているにもかかわらず、いまだに「アカデミック」な段階にとどまっているということを示しているのではなかろうか。ここで「アカデミック」と言ったのは、『アメリカン・ヘリティッジ・ディクショナリー』での四番目の定義、「研究のことばかり考えて外の世界を忘れてしまっている」という意味でのことだ。

グロトフェルティはこのように既存の文学研究を批判し、「外の世界」に意識を向け、環境という視座から文学研究を再調整することを提唱したのである。若き研究者が学界権力に挑戦するのはかなりの勇気を要したにちがいないが、グロトフェルティの主張は多くの研究者の共感をよび、アメリカのエコクリティシズムは急成長した。権威に異議を唱えても潰されることがなかったのは、言論の自由をなによりも重視するアメリカ社会ならではの展開だと言えよう。

文学と環境の関係を考察するエコクリティシズムは、研究と「外の世界」を切り離さず、「片足をテクスト(文学作品)に、もう片足を大地におく」(Glotfelty)という批評スタンスをとる。それは必然的に「文学」そのものの見直しを伴う。というのも、文学は「存在論的用語ではなく機能論的用語である」(イーグルトン)と言われるように、何を「文学」とみなすかということとにはある特定の価値観が介在しているからだ。エコクリティック(エコクリティシズムに従事する研究者)は、文学をliteratureの広義の定義である「書かれたもの全般」ととらえ、ネイチャーライティング(1章参照)など、それまで文学研究の俎上に載らなかった言語実践を積極的に考察する。したがって、「環境文学」とよばれるものには、小説、詩、戯曲、ノンフィクションエッセイなどジャンルを問わず、物理的環境と人間の関係を主題とする作品が含まれる。さらに、エコクリティシズムの研究対象は、映画や視覚芸術などあらゆる文化表象へと拡大している。また、いわゆる「作品」に限らず、あらゆる言語・文化表象を環境という視座から分析するという側面もエコクリティシズムにはあり、本書ではその実践例として、3章で生物多様性国家戦略のパンフレットの分析をおこなう。

外の世界と文学研究の有機的関係を重視する初期エコクリティシズムでは、環境への「意識の向上」を「最大の任務」とする方向性が明確に打ち出された(Glotfelty)。次のスロヴィックの言葉はそれを雄弁に物語っている——エコクリティシズムの「批評行為とは実体のある自然＝モノの世界との接触を重視する行為であって、けっして文学テクストと戯れるだけには終わらない」(スロヴィック、野田)。ちなみに、同様の見解は、エコクリティシズムでよく言及される作家レベッカ・ソルニットの『ウォークス』(二〇〇〇年)にもうかがえる。ソルニットは、

「ポストモダンの理論は繰り返し身体について語るけれど、その身体は悪天候に苦しめられることもなければ、異種の生物に遭遇することもなく、原初的な恐怖に駆られることも、大して興奮することもなければ、筋肉を限界まで酷使することもない。要するに、肉体的な企てや戸外での活動に関わることがない」と述べ、文学批評理論における過度の抽象化に警鐘を鳴らした。外の世界から隔絶した象牙の塔にこもり「文学テクストと戯れる」ことで文学批評理論が発展したのだとすれば、初期エコクリティシズムにはそうした理論に対する抵抗が明確にあった。

このような反理論を理論化する試みとして、スロヴィックは「ナラティブスカラシップ」という方法論を提唱した。これは、作品で重要な役割をもつ場所に研究者が身をおき、そこでの経験や思考の揺れをテクスト分析に織り込む研究手法である。

「環境批評」や「文学と環境」という別称

物理的環境への志向は初期エコクリティシズムに顕著であったが、それは学術的にナイーブだとして批判する動きが生じ、エコクリティシズムは文化的構築物としての環境にもっと注視するべきだという主張が次第に強くなっていった。デイナ・フィリップス『エコロジーの真相』(二〇〇三年)、ローレンス・ビュエル『環境批評の未来』(二〇〇五年)、ティモシー・モートン『自然なきエコロジー』(二〇〇七年)がその代表格である。かれらは、文学に表現される自然は触れることのできる物理的実体なのか、それとも修辞によって構築されたものなのか、という問題を提起した。とりわけモートンは、初期エコクリティシズムに顕著な、触知できる物理的自然への志向が「有益な自然とはなんであるかにかんする固定観念を大量生産」し、自然をイデオロギー化しているとして痛烈に批判した。

こうした研究スタンスの相違は、「エコクリティシズム」という用語をめぐっても顕在化した。ビュエルは、初期エコクリティシズムに自然崇拝的傾向を見てとり、環境をめぐる理論的で学際的な文学研究を「環境批評(environmental criticism)」と名づけ、エコクリティシズムとの差別化を図った。とはいえ、理論派のあいだですら、依然として「エコクリティシズム」が一般的に用いられている。それは、英語圏、とくにアメリカでは、environmentalという言葉がきわめて政治的な意味をもつため(I am an environmentalist と言うと、過激な環境活動家とみなされる)、eco の方が中立的だと考えられているからだろう。また、そもそもエコクリティシズムという用語が定着しているのだから内輪揉めしていようがこの用語を使えばよいではないか、という声もアメリカで何度か耳にしたことがある。

「エコクリティシズム」の代替として用いられる用語に「文学と環境（literature and the environment）」がある。環境危機を意識した文学研究は「広く、ゆるく、示唆的で、オープン」であるのがよいとして作家ウォレス・ステグナーが提案した言葉だ（Glotfelty）。エコクリティシズムの特徴は「間口の広さ」にあると述べてきたが、それは「広く、ゆるく、示唆的で、オープン」であることを指す。これは、どのような見解も無批判に受け入れるということではない。見解の異なる者同士の学術的対話を促す場になっているという点が肝要であり、権威不在のポリフォニックな批評空間だからこそ、エコクリティシズムは空中分解せず、進化し続けているのである。

実態と言説のあいだ

前述したように、環境に無関心な文学研究に対する懸念から生まれたエコクリティシズムは、環境をめぐる意識の向上を念頭におく。これには研究者自身の環境意識の向上も含まれる。だから、「片足を文学テクストに、もう片足を大地におく」批評スタンスが示され、その具体的な方法として、フィールドワークを伴う文学研究やナラティブスカラシップ、生態学をはじめ環境に関する他分野との学際的研究が提唱された。と同時に、繰り返しになるが、そうした環境意識の向上を目指す態度に盲信的な自然礼賛の傾向があるとして、「自然」や「環境」という概念に埋め込まれた意味、価値観、イデオロギー的歪曲の精緻な分析に注力する動きも、エコクリティシズムにおいて醸成された。一方は書斎の外に広がる物理的環境に、もう一方は環境をめぐる文化的側面に重点をおく。これらは一見相容れないようにみえるが、環境哲学者ケイト・ソパーが言うように、「どちらも、人間ならざるものの世界に関する私たちの概念の解明や、人間とそうでないものとの関係に関する思い違いの矯正という、共通の関心を有している」(Soper 2000)。

環境はテクストの内と外の両方に存在する。オゾンホールは事象を指すのであって、「オゾン層という言葉に穴があいているのではない」(Soper 1995)。しかし、オゾンを「層」ととらえ、人間の活動の影響によってそこに「穴」があいたという見方は、文化的に構築されたものである(Garrard)。物理的事象はけっして透明な事実ではなく、言語と結びついたかたちで知覚される。テクストの内と外は関連しており、両者の関係は合わせ鏡に映る像さながら往復運動をくり返し、固定されることがない。外の世界と言語空間の関係をめぐるエコクリティシズム内部の交渉と抗争がそれを証明している。

おさらいすると、エコクリティシズムには、環境の問題への意識向上を重視する啓発的側面と、独自の批評理論の洗練を目指す学術的側面があり、重点の置き方次第で双方の緊張関係が深まることもある。それは必ずしも悪いことではなく、文学と環境の関係をめぐる多角的考察を促す原動力になっている。エコクリティシズムがまなざす「環境」とは、単なる物理的な環境でも、文化的に構築された環境観を単になぞるものでもない。このことを頭の片隅に置いて、これから自然環境、都市環境、地球環境をめぐる文学的想像力をみていくこととしよう。

1 章
近代化，わきたつ野性
──綴り直される感覚

1　ネイチャーライティングと散歩者の夢想——ヘンリー・D・ソロー『森の生活』

自然を知るということ

エコクリティシズム誕生前夜の一九八七年、インディアナ大学教授(当時)で作家のスコット・ラッセル・サンダースはエッセイ「自然のためにひとこと」で、アメリカ文学と文化における自然への無関心を鋭く指摘した。サンダースによれば、文学的技巧を凝らし批評家に高く評価されているアメリカの小説は、人間のことだけに関心を寄せており、内容が浅く感じられる。それとは対照的に、大地に分け入って自然との接触を描いた、文壇が見向きもしない作品は、文学的想像力の新たな地平を拓いている。文学と文化は表裏一体の関係にあり、主要な文学作品にみられる自然への無関心はアメリカ文化一般にもうかがえるとして、サンダースはグレートスモーキー山脈のキャンプ場での次の出来事に言及している。

キャンプ場でエンジンをかけっぱなしにしているキャンピングカーがあり、不思議に思って近づいたところ、エアコンを効かせカーテンを閉め切った車中からターザンシリーズの映画の音声が聞こえてきたというのだ。一部が国立公園に指定されているほど雄大なグレートスモーキー山脈に来ているというのに、快適な車中でスクリーンに写し出された〈自然のなかの人間〉に見入っている人たち。かれらのふるまいは、せいぜい風景画を愛でる程度にしか自然に目を向けない主流アメリカ文学と似たり寄ったりであるとし、「グレートスモーキー山脈の魅力をもってしても人びとを外に連れ出せないのだとしたら、紙に書かれた言葉がどうやって人の心を動かすことができようか」とサンダースは問う。そして、次のように述べる。

エコロジーの信条は常識的なものになっているが、それは頭でわかっているだけで、心の深いところには届いていない。私たちの多くにとって、自然とは、窓やビデオ画面や写真の枠線で縁取られたものだ。有機的な網の目が身体の奥を突き抜けているのに、それを感じない。自然をめぐる理論が洗練されるのに対し、自然をめぐる経験は浅くなる一方である。

エコロジーを知識として知っているだけでは、また雄大な自然を訪れただけでは、キャンプ場に停めた車中でターザン映画を観ている人びとと同様、自然を経験したことにはならない。

人間と人間ならざるものとの相互交流という「有機的な網の目」が「身体の奥を突き抜けている」のを実感してはじめて人は自然を知る、とサンダースは主張する。ちなみに、このエッセイが発表された前年にチェルノブイリ原子力発電所事故が、その数年前の一九七九年にスリーマイル島原発事故が起きたことを考えれば、「有機的な網の目」には放射性物質も絡まっているはずだが、そのようなダークな面にサンダースは一切触れていない。その意味で、サンダースの見解に自然礼賛的なところがあるのは否めないが、アカデミックな文学観に対する批判や、自然環境と人間文化をめぐる洞察は、エコクリティシズムの先鞭をつけるものであった。

「有機的な網の目が身体の奥を突き抜け」る経験を描いた文学、それがエコクリティシズムで最初に注目されたネイチャーライティングである。なかでもひときわ高い関心を集めたのが、ヘンリー・デイヴィッド・ソロー(一八一七—一八六二年)の作品だ。ネイチャーライティングの説明は後に回し、まずは、読み手の意識を自然へと向かわせるソローの文学的実践をみていこう。

私という社会

アメリカ独立革命発端の地、マサチューセッツ州コンコード。この町から少し離れた湖畔で

「人生を生きる実験」を始めたとき、ソローは二八歳になる直前だった。ハーバード大学卒業後、兄と学校を経営していたソローは、最愛の兄の死後、参加していた超越主義グループのラルフ・W・エマソンが保護目的で購入した森の一画で、マツを伐り出し簡素な家を建て、二年二ヶ月にわたって、「生きる実験」に取り組んだ。それが本として出版されたのが約一〇年後の一八五四年。生の真理をめぐる実践的探究生活に片足を、東西の神話や古典にもう片足をおいて書かれた『ウォールデン　森の生活』(以下、『森の生活』)は、出版から一〇〇年余り後、カウンターカルチャーが席巻するアメリカ社会で再発見され、同時期、エドワード・アビーやアニー・ディラードをはじめとするネイチャーライターの文学的インスピレーションの源となった。

ソローは「ネイチャーライティングの祖」とよばれ、老成した書き手と思われがちだが、『森の生活』が二〇歳代後半から三〇歳代後半にかけて書かれたという事実は気に留めておくべきだろう。一九世紀当時と現在では年齢のもつ意味合いは異なるが、それでも『森の生活』には若さが充溢(じゅういつ)している。

その若さはなによりもまず、自分とは何か、生きるとはどういうことか、という問いに真正面から向き合う姿勢にあらわれている。『森の生活』冒頭で、「たいていの書物では、一人称の私は省略される。本書ではずっと使われることになるだろう」と記されているように、ソローは「私」であることにこだわった。なぜ「一人称の私」に固執するのか。それは、工業化が進むなかで人びとが自分を見失っているからだという。人びとは自分が何者であるかを知らず、知ろうともせず、金銭や名声や所有欲の奴隷と化している。そうした隷属状態から人びとを覚醒させることがソローの執筆目的だった。『森の生活』は、「現代文明をひとつの恵みに変える」(「経済」、「 」内は『森の生活』の章名)という希望が込められた書なのである。

一七の章とむすびから成る『森の生活』の最初の章が「経済」であることに示されているように、ソローは実生活のなかで生の探求を深めた。経済(エコノミー)の「エコ」は「家」を意味するギリシャ語のoikosを起源とし、生態(学)(エコロジー)と同じ根をもつ。「エコロジー」がドイツの生物学者ヘッケルによって提唱された一八六六年の数年前にソローは世を去ったが、エコロジーという用語を知らずとも、家庭ひいては社会の管理を意味するエコノミーが、環境という家の構成員としての生物・無生物の関係(すなわちエコロジー)と密接に結びついていることを、ソローは見抜いていたのだろう。家は生の基盤であり、だから基礎からつくった簡素な小屋をソローはあえて「家」とよんだ。その家で、人間と自然、社会と地球の有機的関係に考えをめぐらせ、「生きる」という命題を思想的かつ実践的に追求したのである。

私が森へ行ったのは、思慮深く生き、人生の本質的な事実のみに直面し、人生が教えてくれるものを自分が学び取れるかどうか確かめてみたかったからであり、死ぬときになって、自分が生きてはいなかったことを発見するようなはめにおちいりたくなかったからである。人生とはいえないような人生は生きたくなかった。（「住んだ場所と住んだ目的」）

森の生活は、社会に背を向けた隠者のそれではなく、工業化が進むなかで蔑ろにされている「人生の本質的な事実」に向き合うための手段だった。だから、森の生活で生きることの真理を会得した後、ソローは町へ戻った。『森の生活』というネイチャーライティングは、人間として生き直すことへの誘いの書なのである。森に住み始めたのは「たまたま」アメリカ合衆国独立記念日にあたる七月四日だったと記されているが、それは奴隷制を擁するこの国に対するソロー特有の批判的ジェスチャーにほかならない。南部の奴隷だけでなく、「型にはまった因襲的な日常生活」に隷属している北部の人たちも人間として独立を果たしていないと主張するソローは、『森の生活』を、人間の、人間による、人間のための社会の真正な独立宣言として世に出したと言えよう。

生きることの真理を生活全般にわたって探究したソローは、自然と経験をなによりも重視した。たとえば家を建てる場合、どれだけの人がその目的を把握しているのかと問う。「人間が自分の手でみずからの住まいを建て、単純で正直な労働によって自分と家族を養っていくようになれば、どの鳥もそうした暮らしのなかでさえずっているのだから、ひょっとすると詩的な才能が万人のうちに芽生えてくるのではあるまいか」(「経済」)というふうに、自然を模範にして簡素で高潔な生活を目指そうではないかと説く。木材の伐り出しにせよ、森や野の散策にせよ、日々の自然との身体的接触が「人生の本質的な部分」へと知性を導く。そのようにして涵養された経験知は、「マツの木を何本か伐り倒した私ではあるが、仕事を終えるころにはこの木のことがずっとよくわかるようになり、マツの敵というよりは友だちになっていた」(「経済」)というように、人間以上(モア・ザン・ヒューマン)の共同体の感覚を伴うものであった。

「人間以上(モア・ザン・ヒューマン)」という用語は本書の重要語であるので、ここで簡単に説明しておこう。「人間以上」は、「まえがき」で言及したD・エイブラムが著書『感応の呪文――〈人間以上の世界〉における知覚と言語』(一九九六年)で、人間と人間ならざるものの相互交流(レシプロシティ)が生きられているあり様を語る際に用いた造語である。人間の知覚、言語、文化、そして存在そのものに、大地・地球との相互交流が染み込んでいることをエイブラムは論証した。「人間以上」の定義は示されていない。人間がその一部である、人間を超える感応的な世界は、人間と自然という二元論で語られるものではなく、概念化や定義づけが困難だからだろう。

さて、ソローに戻ろう。事物や人間を生み出す「力」ないし「偉大な法則」を感得するとき、人は独りでも孤独でないということを、ソローは自然から学んだ。「太陽だってひとりである。〔……〕私は牧場に咲く一本のモウズイカやタンポポ、マメの葉やスイバ、アブやマルハナバチとおなじように、ちっともさびしくない」(「孤独」)。憂鬱や人間嫌いは、元を正せば、制度的思考に縛られているから生じるのだ。自然の理法を学び、生の真理を会得した者こそが真正な人間であり、一人ひとりがそのような人間であれば、個々の「私」は同胞――人間だけでなく、人間ならざるものも含めて――とつながっている、という思考が『森の生活』を貫いている。万物の法則を知る自立した個人の社会、いわば〈私という社会〉を見据えていたからこそ、ソローは「私」にこだわった。

歩く(ウォーキング)という実践哲学

森での「生きる実験」には葛藤がなかったわけではない。「ひと里離れた草地や、ぬかるみや、沼地の穴ぼこや、さびしい荒れ地を渡り歩き、いそいそとカワカマスを釣りに行くなんて、学校ばかりか大学にまで行かせてもらった人間がするにしてはあまりにつまらないことではないか」(「ベイカー農場」)と、弱気な面もみられる。そうしたソローにとって、一日の始まりである夜明けは格別の意味をもった。「朝は、一日のうちでもとりわけ記憶すべき時間帯であり、目覚めの時である。これほど眠気を感じない時間はない。〔……〕人間の魂、いや、むしろ魂の諸器官は、毎朝活力を取り戻し、そのひとの「霊性」は、ふたたび気高い生活を営もうと努力する」(「住んだ場所と住んだ目的」)と語られるように、夜明けは身体、感覚、そして知性の目覚めを意味したのである。

『森の生活』では、制度や慣習への隷属が冬眠になぞらえられ、心身ともに「目覚めていることこそ生きていることにほかならない」(「住んだ場所と住んだ目的」)と主張される。隷属の反対は自由であり、自由が何たるかは自然が教えてくれる。かくして、自由、自然、生きることは、ソローの思考において等式で結ばれる。それが明快に表れているのが遺稿「歩く(ウォーキング)」(『市民の反抗　他五篇』所収)の冒頭だ。

私は「自然」を弁護するために——単なる市民的自由や市民的教養とは対照的な、絶対的自由と野性を弁護するために——ひと言述べてみたい。つまり、人間を社会の一員としてではなく、むしろ「自然界」の住人、もしくはその重要な一部分として考えたいのである。

言うまでもなく、自由はアメリカ合衆国を象徴する価値観である。そのアメリカ社会が定義する自由を「単なる市民的自由」と言ってのけ、真正な「絶対的自由」は自然にこそ見出されるというあたりは、前述したソロー流独立宣言と相似する。同エッセイでは、生命は野性そのものであり、「野性的なものは、まだ人間に屈服していないからこそ、接する人間に元気を与える」と述べられている。制度への隷属は、いわば野性が眠っている状態なのだ。『森の生活』にもこう記されている――「本性に従って野性的になれ。〔……〕生計を立てることを商売とせず、むしろそれを遊びとせよ。大地を楽しめ、だが所有はするな」(「ベイカー農場」)。野性的であることを商売や所有の対極に位置付け、資本主義社会に飼い馴らされて鈍化した知性を目覚めさせ、野性的な贈与の世界へと導くソローの文章は、文明論として読まれるべきものである。

そして、生命＝野性の覚醒の最たる手段が歩くことであった。夜明けが感覚と知性の覚醒になぞらえられたように、ソローにとって「歩くことは、空間の移動であることを超えて、認識の大きな飛躍をもたらす身体知の技法でもあった。外界としての自然に向かって歩き出すことは、同時に自らのうちにむけて意識の世界を拡大してゆくことでもあった」(今福)。歩くという生の実践哲学はルソーに遡る。そのルソーを意識してか、ソローは自らを「孤独な散歩者」(「先住者と冬の訪問者」)と呼ぶが、歩行の哲学を野性の哲学として深めたところはソロー独自だ。ソローにとって歩くことは、制度化された思考から自由になり、感覚に立ち返る(正気を取り戻す)ことを意味する。「自分の肉体が森のなかに一マイルもはいっているのに、精神はまだそこへ到達していない」のであれば、歩くということにはならないのだ。

「マヌ、モーセ、ホメロス、チョーサーといった予言者や詩人たちがはいっていったのとおなじ自然界に、徒歩ではいっていく」という具合に、歩くことをめぐるソローの文章には往々にして古典が絡む。エッセイ「歩く」には書物への言及が少なくないが、それは、「ほんとうによい書物は、〔……〕野生の花とおなじように自然のままであり、読者の意表をつく、たとえようもない美しさと完璧さをそなえている」との見解にもとづく。『森の生活』にも「読書」という章があり、人類の叡智を記した書物は自然同様「われわれの物の見方すら一新してくれる」と記されている。

自然すなわち「隠喩なしに語る唯一の豊かな標準語である森羅万象の言葉」(「音」)を読み解くことと、書物から「叡智とともに心の寛(ひろ)さ」(「読書」)を学ぶことが、感覚と知性の覚醒を相乗的にもたらすということを、ソローは明確に示した。こうした野外観察と読書にまたがった思索はネイチャーライティングの定型となる。

野性を映す過剰の文学

『森の生活』の目的が人びとの知的覚醒にあるのならば、そこに綴られる言葉は読み手を目覚めさせるものでなければならない。ものの考え方や認識は言葉によってつくられる。ソローが古典を引用するのも、それが「読者の意表をつく」力によって世界を「曇りのない目」で見ることを促すからにほかならない。野性の覚醒が言葉によってもたらされることをソローは熟知していた。

野性が野性である所以(ゆえん)は「人間に屈服していない」ことにあるのだから、野性を映す言葉は、言語的慣習という囲いの外部になければならない。ソローの文章には、語の独自の解釈、唐突な展開、奇抜な比喩表現、過激な寓話化がみられるが、いずれも言語的慣習をはみ出る過剰さを特徴とする。これらは、制度的思考から読者を解き放つためにソローが意図的に選び取った戦略なのだろう。『森の生活』には、「本書の記述にいくらか反復があるのは、野良仕事そのものに少なからず反復があるからだ」(「マメ畑」)と、自然との交流を映す記述法が示唆されているが、野性と言葉の関係をめぐるソローの見解が最も明快に示されているのは「むすび」の次の一節である。

わかるように話せ、というイギリスやアメリカの要求はばかげている。人間にしろ、毒キノコにしろ、そんなぐあいに成長するわけではないのだ。〔……〕私はむしろ、自分の表現が、まだ存分に度を－越して(*extra-vagant*)いないのではないか、自分が確信をもつに至った真理にふさわしいほど、日常生活の狭い限界を乗り越えてはるか遠くまでさまよい出てはいないのではないか、といった点がひどく気になっているのだ。度を－越すこと！　それは人間がどの程度囲いこまれているかによってきまる。緯度の異なる土地に新たな草原を求めて移動する野牛は、乳しぼりの時間に手桶を蹴倒し、ウシ置き場の柵をとび越えて子ウシのあとを追う牝ウシほど、度を越してはいない。私は拘束されない状態で語りたいのだ。目覚めつつある人間が、目覚めつつある人間たちに向かって語りかけるように。私は、いつわりのない表現の基礎を築くためなら、いくら誇張してもかまわないと確信しているからだ。

野性の言い換えとして用いられている extra-vagant という語は、通常、一語で extravagant

（言動や感情や生活が「度を越した」「途方もない」状態をいう）と表記されるが、どれほど遠くまで「範囲外」（extra-）へと「さまよう」（vagant）かということを強調するために、独自の綴り方が採られている。そして、野牛に負けない野性を発現する家畜の牝ウシになぞらえて、社会に飼い馴らされている人間が野性に目覚めることへの希望が吐露されている。真理は社会的慣習の外部にあり、社会の囲いから遠くさまよい出た言葉だけがそれに触れることができる。このような野性を表現する「度を－越した」言語実践は、『ティンカー・クリークのほとりで』（一九七四年、ピュリッツァー賞ノンフィクション部門受賞作）で知られるディラードや、本書でたびたび言及するテリー・テンペスト・ウィリアムスをはじめ、現代ネイチャーライターに受け継がれている。

ところで、先の引用では、野性に目覚めた家畜の牛は「子ウシのあとを追う牝ウシ」であった。これは、子ウシが柵の外に出ていたこと、その子ウシのふるまいが牝ウシの野性を目覚めさせたことを暗示しており、子どもに宿る野性と親の本能を指していると解釈できる。「子供というものはみな、ある程度まで人類の歴史をはじめからやりなおしているのであり、雨や寒さをものともせず、戸外にいることを好む。〔……〕そうした本能をもっているからだ」（「経済」）という具合に、『森の生活』には子どもに生得的に野性が宿っているという見解が散見される。

ソローが生きる実験をおこなったウォールデン湖畔も、彼が四歳のときに連れてこられた、「記憶に焼きつけられた、いちばん最初の風景のひとつ」(「マメ畑」)だったと語られており、慣習に染まった思考の再野性化において幼年期の経験が重要であることが仄めかされている。

幼年期の自然経験の重要性はネイチャーライティングの基本テーマのひとつであり、この点でもソローはネイチャーライティングの原型を用意したと言えよう。また、いささか強引な解釈かもしれないが、子を思う親の本能に野性の発現をみる見方は、自己完結的な快楽に走り、将来世代に想像力が及ばない資本主義的社会を批判する視座と同じ根をもつと考えられる。ソローは生涯独身で子をもたなかったが、子ウシのあとを追う牝ウシに野生動物に勝る野性を見てとるソローの思考は、未来の世代を念頭において地球環境を考えることが切に求められている現代に示唆を与えるものだ。

野性にこそ世界は保たれる

ソローの文章のなかでおそらく最もよく引用されるのが、「野性にこそ世界は保たれる(In wildness is the preservation of the world)」(エッセイ「歩く」)という一文である。短いわりに誤って引かれることがめずらしくなく、「野性(wildness)」が「原生自然（ウィルダネス）(wilderness)」と表記されることがよくある。野性が人間社会に飼い馴らされていないという性質を指すのに対し、ウィルダネスは人の手が入っていない大自然を指すのだから、取り違えると意味が変わってしまう。ソローが言わんとしているのは野性という性質の重要性であり、物理的自然に限定されない広い意味をもつことに留意しよう。

また、「野性にこそ世界は保たれる」の「保たれる(preservation)」がしばしば「救済される(salvation)」と記されることもあるが、こちらは必ずしも誤りとは言えない。英語でなくイタリア語の話になるが、イタリアの優れたネイチャーライティング『野生の樹木園』(*Arboreto Salvatico* 一九九六年)の著者マーリオ・リゴーニ・ステルン(一九二一―二〇〇八年)が、salvatico(野生の)と salvifico(魂を救済する)の形態的近接性に着目し、こう述べている。

〔「野生の」salvatico という〕形容詞はルネサンス期に、現代のイタリア語 selvatico の意味で使われていた。〔……〕selvatico とは「耕されていない」「飼い馴らされていない」「野生に覆われている」、さらに「自然のままの」という状態を表す。だが、母音の e を a に置き換えると、意味するところは一変する。salvatico は転じて salvifico「魂を救済する」という意味の形容詞となり、salvezza「救済」につながるのである。

樹木の世界は果てしない。湿原から山の頂きまで、灼熱の地から氷雪の地まで、木々は広がっている。〔……〕そのほかに、公園、田園、並木、都市の木々が加わる。樹木がなければ、命も存在しないだろう。いかなる命も。私たちの惑星はどうなるか。命のない、不毛な地へと変わることだろう。

森がなければ人類は存在しなかったのであり、森を育てることは「文明の証し」にほかならない、という見解である。各々（おのおの）「道理にかなった意味」をもつ樹木に敬意を表し、「人類の歴史を眺めてきた」樹木の悠久の時間（ディープタイム）と神話性に着目するリゴーニ・ステルンの思想は、ソローの野性哲学と相似する。salvatico と salvifico の連想から生まれた独自の——いわば「度を–越した」——解釈は、まさにソロー的とよびたくなるものだ。野性／野生に人間が救われてきたというリゴーニ・ステルンの見解は、ソローが森の生活で到達した真理と響きあうものであり、そのように考えると、「野性にこそ世界は救われる(In wildness is the salvation of the world)」という別表記は不注意によるのではなく、「度を–越した」言葉のなせる業と言えなくもない。ちなみに、次節でみるレオポルドも、著書『野生のうたが聞こえる』でソローの至言を「野性にこそ世界は救われる」と表記している。

ソローの文章は、解釈という囲い込みをかわし、出版から百数十年が経った現在でも飼い馴らされることがない。そのことは、研究論文の多さ、多彩な訳者による何種類もの翻訳、さらに、佐藤光重著『『ウォールデン』入門講義』(金星堂、二〇一九年)、伊藤詔子著『はじめてのソロー』(NHKカルチャーラジオ 文学の世界、NHK出版、二〇一六年)、上岡克己・高橋勤編『ウォールデン』(シリーズ もっと知りたい名作の世界③、ミネルヴァ書房、二〇〇六年)など、ソロー文学の入門書が続々と出版されているという事実が物語っている。無限の読みの可能性をもつ『森の生活』は、野性を主題化した、それ自体が野性的な文学であり、野性をめぐる想像力を刺激し続けると同時に、私たちの読む力を試してもいる。「本物の書物を本物の精神で読むことは気高い修練である」(「読書」)という言葉は、『森の生活』の読者に向けられたメッセージでもあるのだ。

ネイチャーライティングとは

『森の生活』を読み進めながらネイチャーライティングの特徴をいくつか指摘してきたが、ここで整理しておこう。ネイチャーライティングについては、野田研一著『自然を感じるこころ――ネイチャーライティング入門』(ちくまプリマー新書、二〇〇七年)で詳しく説明されているので、ここでは基本的な事柄に絞ることとする。

ネイチャーライティングは、科学的事実や自然観察に個人的思索や哲学的解釈が織り込まれた一人称ノンフィクションエッセイを指す。自然をせいぜい人間のドラマの背景としかみない大半の文学作品とは異なり、ネイチャーライティングでは、自然が人間の秩序とは異なる固有の秩序をもつものとして前景化される。イギリスではギルバート・ホワイト『セルボーンの博物誌』(一七八九年)、アメリカではウィリアム・バートラム『旅行記』(一七九一年)が、ネイチャーライティングのはじまりとされている。一八世紀末から連綿と続く文学ジャンルだが、長い間、学術的関心の外に置かれ、文学的に評価されてこなかった。しかし、それは作品に問題があるというよりも、自然・環境に目を向けない文学研究のあり方に原因があった。ネイチャーライティングはエコクリティシズムによって発見されたのである。

アメリカンネイチャーライティングの系譜を整理したトーマス・J・ライアンによれば、ネイチャーライティングには次の三つの基本要素がある。(1)ナチュラルヒストリー(自然界の事物や現象の記述、博物誌)に関する情報、(2)自然に対する個人的な反応、(3)自然についての哲学的な考察。ライアンは、これらの調合具合によって、ナチュラルヒストリーに関する論考から自然における人間のあり方をめぐる哲学的思索まで、ネイチャーライティングを七つのタイプに分類している。いずれも書き手である〈私〉の視点から書かれており、この点にネイチャーライティングとナチュラルヒストリーの大きな違いがある。ナチュラルヒストリーが自然を客観的に——何をもって「客観的」とするかということは時代や文化によって異なるが——とらえようとするのに対し、ネイチャーライティングは〈私〉の経験や思索を排除しない。これには、個人の自然体験を重視するロマン主義も影響している。

ネイチャーライターは自然の営みに何を読みとっているのか。科学が理神論や有神論を前提としていた一八世紀から一九世紀にかけては、自然の営みは神の意志のあらわれとみなされた。ダーウィンの進化論が世に出た一九世紀半ば以降は、自然の諸要素の調和的関係に聖なる原理が読みとられていった。そうした「自然に対する崇敬の姿勢」は二〇世紀ネイチャーライティングにも継承されている(ライアン)。いずれの場合も、人間社会の秩序とは異なる自然固有の秩序に諸存在の調和状態を読みとり、自然を規範(ノーム)として自己や社会の正常(ノーマル)なあり方を探求する、という構図が特徴的にみられる。

本書で取り上げるソロー(一九世紀半ば)、アルド・レオポルド(二〇世紀前半)、テリー・テンペスト・ウィリアムス(二〇世紀後期以降)にみられるように、アメリカのネイチャーライティングには時代を越えて、自然という言葉で野性(ワイルドネス)を指す傾向が認められる。社会が変化しても変化しない生の固い岩盤、それが「自然」や「野性」とよばれているのである。

2　山の身になって考える――アルド・レオポルド『野生のうたが聞こえる』

科学と美の融合

自然の側から人間社会を見つめ直すというネイチャーライティングの特徴は、森林・生態系管理を主題とするアルド・レオポルド(一八八七―一九四八年)の『野生のうたが聞こえる』(一九四九年)にも顕著である。レオポルドは環境思想において不動の地位にあるが、昨今はさまざまな分野から注目されており、たとえばディーリア・オーウェンズのミリオンセラー小説『ザリガニの鳴くところ』(二〇一八年)やリチャード・パワーズの『オーバーストーリー』(4章参照)など話題の文学作品、人新世のニュー・エコロジーを提唱した生態学者オズワルド・シュミッツの『人新世の科学』(二〇一七年)、哲学者エマヌエーレ・コッチャ『メタモルフォーゼの哲学』(二〇二〇年)でも参照されている。分野横断的に知のアップデートの準拠枠となっているレオポルドの思想を、遺作『野生のうたが聞こえる』にみていこう。

全体は三部構成で、第一部「砂土地方の四季」は、一九三五年から不慮の死を遂げた一九四八年まで、レオポルドが週末を家族と過ごしたウィスコンシン川周辺の土地での観察にもとづくエッセイから成る。一家が購入した八〇エーカー(東京ドームの約七倍の広さ)の土地は、無計画な小麦の作付けやダストボウル(一九三〇年代にアメリカ中西部の大平原地帯で断続的に発生した砂嵐のこと。ジョン・スタインベックの小説『怒りの葡萄』でも知られる)で荒廃を極めていた。街道さえ通っておらず、「進歩という流れに逆らっている」という理由で、そこを所有することに決めたという。一九三三年に狩猟鳥獣管理の教授としてウィスコンシン大学に着任したレオポルドは、余暇を利用して荒廃地の生態系復元に取り組み、打ち捨てられた鶏舎を小屋に修繕し、家族と訪れては土地の観察や植樹を続けた。第一部では、そうした十数年にわたる経験が一年の記録として再構成されている。

第二部「スケッチところどころ」は、子どもの頃に手ほどきを受けたハンターとしての体験や森林官時代のウィルダネスでの経験、読書で得た知識等にもとづく思索的エッセイから成る。後で触れる「山の身になって考える」と題されたエッセイも収録されている。

第三部「結論」(邦訳では「自然保護を考える」)では、研究者としての客観的な見地から、自然保護の現状と問題点、そして打開策としての「土地倫理(ランド・エシック)」が理路整然と述べられる。最初におかれたエッセイの題目「自然保護の美学」にうかがえるように、野生生物生態学者レオポルドの客観的視点は美的感覚を包摂する。いやむしろ、自然保護の真髄は生態系の美の感得にあるという見解が、レオポルドの思考の核になっている。

生態系の美は、必ずしも景観美を指すわけではないし、科学の対象にもなっていない。第二部の「グアカマハ」というエッセイでレオポルドは、科学が発展しても「美の物理学の方程式」を解こうとする者はいないと言い、たとえばアメリカ北部の森林のエリマキライチョウは、それらがいなくなったとしても質量やエネルギーの点ではほとんど意味をもたないが、「このライチョウをなくしてしまうと、全体が死んでしまう」ほど生態学的意義は計り知れないと述べる。そうした「現代科学の用語では説明しきれない」生態系の意義に表現を与える試みが、『野生のうたが聞こえる』という作品なのだ。

科学は社会に大きく貢献し、科学の発展のおかげで川岸の生活は快適になった。「だが、それと同じく、川と過ごす快適な生活とは、川の音楽を聞く耳と心を持ち、そのために川の音楽を保存する努力にかかっているとも言えると思うのだが、これは科学の領域ではまだ受け入れられていない疑問である」(第二部「ガヴィランの歌」)と、レオポルドは専門分化する科学の現状をそれとなくたしなめる。川の音楽とは、「幾千もの丘陵に刻まれた楽譜、草木や動物の生ける者と死せる者が奏でる調べ、秒という時間と世紀という時間とを結ぶ音律」が渾然一体となったもの、要するに、地質学的尺度でみた生態系の調和状態を指す。こうした生態学の美の方程式を科学者と大衆の双方に向けて語ることは容易ではないが、レオポルドは、観察と経験と思索の蓄積を文学的に成形することにより、目的を達成した。

『野生のうたが聞こえる』は初版以降二〇〇万部以上売れ（正確には、アースデイが創設された一九七〇年の大衆向け廉価版刊行後、一般に知れ渡るところとなった）、十数ヶ国語に翻訳されている。日本での知名度は高くないが、アメリカではカーソンの『沈黙の春』と同様、著作を読んだことのない人でも知った気になっているほどの浸透ぶりだ。すぐれたネイチャーライティングに贈られるジョン・バロウズ賞の一九七七年受賞作であり、環境倫理のバイブルとしても名高いこの作品は、科学的見地と文学的表現によって織り上げられている点で、ジョン・ミューアやカーソンの作品に代表されるような、科学と文学が融合したネイチャーライティングの系譜に位置づけられる。科学的知見を開陳するだけでは人の心に届かない。だからレオポルドは文学的工夫を凝らしたのだが、他方で、科学的客観性ゆえに彼の思想が広く受け入れられたのも事実である。

美が心の目をひらく

野生の自然に関心を寄せる人は多く、最初は鉄道、次に自動車、続いてトレーラーで人びとが大挙して押し寄せるが、大半の人は大自然を訪れた証拠——鳥獣や魚、獲物の頭部、皮、写真、標本——を得ることに躍起になり、「自然の営みに対する認識」を高めるに至っていない、とレオポルドは考察する(第三部「自然保護の美学」)。当時の野外レクレーション人気の背景には、歴史家フレデリック・ジャクソン・ターナーの「アメリカ史におけるフロンティアの意義」(一八九三年)のインパクトがあったと考えられる。文明と未開地の境界であるフロンティアでの経験が、個人主義や機会の平等をはじめとするアメリカ的価値を生み出したというターナーの学説は、ウィルダネスを国家的象徴として称揚するアメリカ的心理を形成するほど波及力が大きかった。レオポルドが嘆く「自然の俗化」は、当時の——そして今に続く——時代精神を映し出していたと言えよう。

大自然を訪れた証拠づくりの野外レクレーションでは、「心の目」はひらかない。心の目は、自然の営みが琴線に触れるという美的経験を通して活性化し、生態学的気づきを生む。「ひとつひとつの問題点を検討する際に、経済的に好都合かという観点ばかりから見ず、倫理的、美的観点から見ても妥当であるかどうかを調べてみること」、「物事は、生物共同体の全体性、安定性、美を保つものであれば妥当だし、そうでない場合は間違っているのだ、と考えること」(第三部「展望」)の重要性を、レオポルドは著書で硬軟織り交ぜて伝えようとした。第一部では、所有地で繰り広げられる生態系のドラマに魅了される自身の経験が語られ、第二部では、若い頃の出来事(苦い思い出も含めて)や読書経験が四〇年という時間をかけて思想へと熟成され、それらを土台として第三部で客観的に主張が開陳される。そもそも美的経験を論理的に説明することは難しい。第一部と第二部で個人的な経験が綴られているのは、それが美の感得を表現する数少ない方法のひとつだからである。

生態系の美を感得したとき、人は謙虚になる。たとえば、第一部の「七月」の章における「大いなる領地」をみてみよう。「領地」すなわち一家の所有地での出来事を語るレオポルドの見地は、土地の支配を意味する所有概念とは相いれない。

話のあらましはこうだ。午前三時半、語り手はコーヒーポットとノートを持って犬とともに小屋を出て、ベンチに腰を下ろす。それが合図であるかのように、ヒメドリが一羽また一羽とさえずりはじめ、互いに縄張りを主張する。次いで、ニレの木にとまったコマツグミが陽気なさえずりで縄張りを主張しはじめる。するとアメリカムクドリモドキが目を覚まし、縄張り争いに加わる。三時五〇分になるとルリノジコ、ミソサザイ、シメ、ツグミモドキ、ブルーバード、ショウジョウコウカンチョウなど多くの鳥が騒ぎに加わる。「ぼくはそれまで、この鳥たちのさえずる順序、最初に鳴きはじめる時間を真剣にメモしてリストにしていたのだが、その判断に迷いが起き、書く手が乱れ、ついにはやめてしまった。〔……〕おまけにコーヒーポットが空になり、太陽も昇りはじめてきた。わが所有権がなくならないうちに、そろそろ領地を見まわらなくてはなるまい」。ユーモアを交えた「所有権」への言及に、自分と鳥たちが同じ土地に所属しているという感覚——それは土地所有者として他種・多種をいたわる責任に通じる——が滲んでいる。

「大いなる領地」には、美や美学といった言葉は一切用いられていない。鳥たちが縄張りを争うのは「昔の馬車道のところまで」だったり、「ニレの木の垂れた枝」だったり、「一九三六年の旱魃(かんばつ)で枯れ残ったオークの大枝」だったりと、語り手は土地の風景を正確に記憶している——「領主」として土地を熟知している証拠だ——が、夜明け前で暗いのだから美観ですらない。しかし、書かれていることは美的経験そのものだ。

語り手は、同じひとつの土地で多種(マルチスピーシーズ)とともに存在していることによろこびを見出している。これは都市から遠く離れた僻地や奥地に限ったことではなく、「都会の空地に生えた雑草からでも、巨木のアメリカスギに劣らない教訓を得ることができる」(第三部「自然保護の美学」）と述べるレオポルドは、来るべきアーバンネイチャー（2章参照）を予見していた。土地というマルチスピーシーズ共同体への気づきが「土地倫理（ランド・エシック）」へと昇華する。

自然保護から土地倫理（ランド・エシック）へ

レオポルドにとって、「自然保護とは、人間と土地とのあいだに調和が保たれた状態」を指し、土地を理解することが何よりも重要であった。自然保護運動がうまくいかないのは土地が所有物――すなわち支配の対象――とみなされているからだという見解で始まる『野生のうたが聞こえる』は、人間と土地との調和がどのようなものであるかを綴った書であると言ってよい。第一部で農地所有者（くどいようだが、レオポルドが土地を所有したのは荒地の生態系復元のためであり、支配欲によるのではない）の立場から、第二部でウィルダネスへの訪問者の見地から土地との関係が語られ、そうした個人的思索が第三部で土地倫理（ランド・エシック）に結晶化する。

> 土地倫理（ランド・エシック）とは、〔……〕共同体という概念の枠を、土壌、水、植物、動物、つまりはこれらを総称した「土地」にまで拡大した場合の倫理をさす。

土地は、国土や故郷といった概念を纏ったものでも単なる土でもなく、「土、植物、動物という回路を巡るエネルギーの源泉」であり、食物連鎖を通して上方の層に送られたエネルギーが死と腐朽(ふきゅう)によって土に還る「エネルギー回路」であるとレオポルドは説明する。生の連続性における死と腐朽の重要性は、『野生のうたが聞こえる』の随所で強調されており、「生き残りたい者はみなたゆまず食べ、闘い、子供を育て、そして死んでいかなくてはならない」(第二部「クランデボーイ」)と明確に述べられている。死は生の終わりではなく、生の連続性の一部にほかならないのである。レオポルドの文章には往々にして地質学的視点が現出するが、それは、生まれて育って育てて死んで生んで……という太古から連綿と続く営みを視野に入れて——地球の時間(ディープタイム)に接続するかたちで——思考を紡いでいる証左であろう。

そうした太古からのエネルギー回路である土地には、当然、人間も組み込まれている。

要するに、土地倫理(ランド・エシック)は、ヒトという種の役割を、土地という共同体の征服者から、単なる一構成員、一市民へと変えるのである。これは、仲間の構成員に対する尊敬の念の表われであると同時に、自分の所属している共同体への尊敬の念の表われでもある。

「ヒトという種」が強調されているように、レオポルドは、生産性を重視して工業的農業に走る同時代の人間を「地質年代のひとつの種としての人類（ホモ・サピエンス）」（第三部「土地の健康とA・B分裂」）に置き直し、生の連続性において人間を再考することを促す。先にみた「大いなる領地」で、鳥たちと同じ土地に所属している語り手の感覚を指摘したが、それは「土地という共同体の単なる一構成員」であるという自覚と言い換えることができる。

人間を土地の征服者から一構成員に変える、という土地倫理（ランド・エシック）の説明はよく引用される一文だが、これだけを読んで、頭ではわかっても、腑に落ちる人はそういないだろう。だが、第一部と第二部でレオポルドの具体的な経験にもとづく思索を読み進めてきた読者であれば、経験が思想に昇華する現場に立ち会っているかのような感覚を覚えるはずだ。「啓発的な意見はまだ言葉だけの段階にとどまっている」として、見解の伝え方に意識的だったレオポルドは、読者の「心の目」がひらくよう筆の運びを工夫した。一個人の具体的な経験と観察の記録（第一部）に始まり、次第に客観的考察の度合いを強めて（第二部）、思想の開陳（第三部）に至るという構成も、そうした工夫のひとつだが、『野生のうたが聞こえる』でおそらく最も有名なエッセイ「山の身になって考える」にレオポルドの文学的意匠が明確にうかがえる。それを次にみてみよう。

凶暴な緑色の炎

原文で三ページと短い「山の身になって考える」には、土地倫理（ランド・エシック）のエッセンスが凝縮されている。語られているのは、レオポルドが森林官として働きはじめた二〇世紀初頭のアメリカ南西部のウィルダネスでの出来事だ。冒頭でオオカミの存在感のある吠え声について語られるのだが、これを読んでシートン動物記の『オオカミ王ロボ』を連想する読者もいることだろう。両作品とも舞台はニューメキシコないしその界隈である。アーネスト・トンプソン・シートン（一八六〇―一九四六年）は、「ネイチャーフェイカーズ（自然の捏造者）論争」において、動物を擬人化しており客観性に欠けるとして批判にさらされた時期もあったが、彼の動物文学は高い評価を得ていたし（先述したジョン・バロウズ賞――皮肉にもネイチャーフェイカーズ論争の火付け役と言えるジョン・バロウズの名を冠している――を一九二七年に受賞）、レオポルドもイェール大学在学中にシートンの講義を聴いたことがあるという事実を考えれば、「山の身になって考える」で描かれるオオカミにロボの姿が重なったとしても不思議ではない。

オオカミの吠え声についてひとしきり語った後、語り手は若かりし頃の過ちを告白する。高原の巌頭（がんとう）で仲間と昼食をとっていたとき、眼下を流れる川にオオカミの親子の姿があった。

「当時は、オオカミを殺すチャンスがありながらみすみす見逃すなどという話は、聞いたためしがなかった」ので、当然の如く、語り手はライフル銃を放った。そして、エッセイのクライマックスといえる次の一節が続く。

> 母オオカミのそばに近寄ってみると、凶暴な緑色の炎が、両の目からちょうど消えかけたところだった。そのときにぼくが悟り、以後もずっと忘れられないことがある。それは、あの目のなかには、ぼくにはまったく新しいもの、あのオオカミと山にしか分からないものが宿っているということだ。当時ぼくは若くて、やたらと引き金を引きたくて、うずうずしていた。オオカミの数が減ればそれだけシカの数が増えるはずだから、オオカミが全滅すればそれこそハンターの天国になるぞ、と思っていた。しかし、あの緑色の炎が消えたのを見て以来ぼくは、こんな考え方にはオオカミも山も賛成しないことを悟った。

オオカミをシカやハンターの敵とみる人間中心主義から、生態系の健康のために不可欠な存在とみる土地倫理（ランド・エシック）への改心が、「オオカミと山にしか分からないもの」に触れたという美的経験として語られている。そのきっかけとなったオオカミの目に宿る「凶暴な緑色の炎」という表現のインパクトは大きく、自然観の生態学的転回のメタファーとして環境言説で広く用いられるようになった。

「山の身になって考える」というタイトルが示すように、レオポルドの意図は、生きもののドラマを太古から見てきた山のように、長期的な視点に立って生態系をとらえる重要性を伝えることにある。当時はオオカミの激減による生態系の悪化が大問題になっており、捕食動物を擁護する研究が出始め、レオポルドも一九二九年の時点で生態系における捕食動物の重要性を認識していた。しかし、一九四〇年代になっても捕食動物の導入は進まなかった。ディズニー映画『バンビ』(一九四二年)の人気が拍車をかけ、人間がオオカミの代役としてシカを間引くことに対する世論の反発も強かった。専門家の意見が大衆に届かないことを身をもって知っていたレオポルドは、このエッセイで、オオカミ銃撃に加担した苦い経験をもつ者の立場から——すなわち、過ちを犯すこともある普通の人間として——語るという方法をとり(Nijhuis)、なおかつ「山の身になって考える」という詩的な表現を用いることで、専門家の上から目線を払拭したのである。

加えて、銃弾に倒れたオオカミの目から消えゆく「凶暴な緑色の炎(fierce green fire)」という表現が、シートンによるロボの「憎しみと怒りで緑色にぎらつく(glared green with hate and fury)」目という表現と似ていることにも注意したい。腕利きのハンターであったシートンが、執念の末に捕まえたロボの目に相棒を殺されたことへの怒りと深い哀しみを見てとり、仲間に対するロボの愛と誠実さに触れて自分の過ちに気づいたという話の流れと、レオポルドの改心の物語は、オオカミの目に宿る意味を基軸として展開している点で相似する。もっともレオポルドはオオカミの感情を描き込んではおらず、その点でシートンとは明確に異なる。レオポルドがシートンのオオカミ表象を意識していたとは断言できないが、ネイチャーフェイカーズ論争というセンセーションを巻き起こしたほどのシートンの物語がなければ、「凶暴な緑色の炎」という名表現は生まれなかったかもしれない。

〈生存の文化〉と〈進歩の文化〉

ソローもレオポルドも、進歩の波にのまれていない場所で、人間と自然に関する思索を深めた。工業化する日常を再考するには町から離れた場所が必要だったわけだが、これを都市と田舎の構図ではなく、イギリスの美術評論家で作家のジョン・バージャー(一九二六－二〇一七年)のいう「進歩の文化」と「生存の文化」という枠組みに置き直してみると、自然擁護として解釈されがちなソローやレオポルドの文章が文明論として読まれるべき所以が明らかになる。

バージャーは、中産階級(ブルジョワジー)の台頭とともに生まれた「進歩の文化」と、農夫に体現される「生存の文化」を比較考察し、人類が連綿と続けてきた「生存に捧げられた生活」、すなわち生存の文化が、工業化による農夫の減少により消滅寸前にあるという見解を示した。生存の文化をテーマとする小説三部作の第一部『Pig Earth』(一九七九年)の序文で、この二つの文化が詳細に論じられており、ここではそれをかいつまんで紹介することとしたい。

進歩の文化は線的時間にもとづいており、現在よりも未来に希望をおき、それゆえ死を矮小化する。それに対して、生存の文化は循環的時間にもとづいており、未来は生存のためにくり返される行為の結果・続き(シークエンス)であるとし、死を生の終わりではなく循環する生の一部ととらえる。農夫は保守的で変化を嫌うと言われるが、それは自然の変化から守られている中産階級(暑かろうと寒かろうと空調の効いた屋内で快適に過ごす私たちもそこに含まれる)の言い分であって、農夫は天候、季節、家畜の状態、自分の体力などあらゆる変化に絶えず向き合い、「毎時間、毎日、毎年、変化とともに生きており、それが何世代も続いている」。変化に向き合う農夫の観察、記録、思索が日常的習慣や仕事の手順に結実しているのであり、したがって、工業化や技術革新に懐疑的な農夫の保守性は、変化の回避ではなく、変化とともに生きる者の知恵として理解されねばならない、とバージャーは洞察する。そして、自然の営みを無視して突き進んできた進歩の文化において、工業化や技術革新が約束したよりよい生活は果たして実現したのかと問い、「〈進歩〉に対する農夫の懐疑は、見当違いでも事実無根でもない」として、生存の文化を再評価することの重要性を示した。

生存の文化と進歩の文化のちがいは、思考を表す接続詞にも表れているとバージャーは述べる。農夫は、二項対立的な思考を表すbut(だが、しかし)という接続詞を滅多に用いない(Berger 1978)。飼っていた豚の解体を例にとれば、農夫は、「豚を可愛がっていたが、殺して食べた」とは言わず、「豚を可愛がり、そして殺して食べた」と言う。可愛がることと殺すこと、生と死が矛盾しない、あるいは矛盾したとしてもそれを受け入れる広さをもつ〈and の思考〉が、生の連続性にもとづく生存の文化の基底を成す。これは、「生き残るためには〔……〕死ななければならない」というレオポルドの思考にも明確にみられる。

生の連続性に人間を位置づけるレオポルドの土地倫理(ランド・エシック)は、進歩の文化の見直しを迫っており、その意味で生存の文化を裏書きするものだ。その土地倫理を、町から離れた場所ではなく、生まれ育った場所で農夫として実践しているのが、数々の文学賞を受賞しているアメリカの詩人ウェンデル・ベリー(一九三四年―)である。以下に訳出する「大地を肥やす」と題された詩は、ベリーが三〇歳代のときに書かれたもので、農夫の思考――but ではなく and の思考――が詩人の手で生き生きと表現されている。

大地を肥やすために、クローバーと草の種を蒔いた
育って枯れていった。土を鋤き起こし種を埋めた
冬の穀物とさまざまな豆類の種を
大きく育ったら鋤き戻して大地を肥やす。
動物の内臓を土に混ぜ込んだ
前の季節に育って朽ちたものも一緒に
そうやって大地を改良し生産力を高める
これはすべて暗やみに仕えること。ベールに包まれた可能性の影
を背景に、私の平日は
自然が提示する光のなかで稼働している。私はゆっくりと落ちてゆく
事物の蓄積のなかへ。けれども大地に仕えることは
何に仕えているのかはわからないが、広さと
よろこびを大気に施し、日々が

完全に去ることはない。それは精神の奉仕であり、
意思がくじけるときは手もくじける
人は生を犠牲にして生きている、
死んだら、否応なしに、身体が仕え、
大地の一部となる。こうして、最も重量があり
寡黙だったものが育て上げられて歌になる。

農夫である詩人は、人間の死も、大地の生の一部ととらえている。これを大地へ還れ（バック・トゥ・ランド）＝帰農とみなしている限り、都市と田舎の二項対立的構図は温存され、「進歩の文化」の肥大化と「生存の文化」の衰退に歯止めはかからない。とはいえ、「進歩の文化」しか知らない者が「生存の文化」を理解することは容易ではない。

そのような袋小路の突破口が、ソローの野性の文学でありレオポルドの土地倫理（ランド・エシック）である。かれらの想像力に触れて、連綿と営まれる大いなる生に自らを位置づけたとき、都市であろうと田舎であろうと、同じひとつの土地に他種・多種とともに生きているという実感が得られるはずだ。

2章

森を出て環境を知る

──〈自然らしさ〉という神話

1 自然は逃避先なのか——生の網の目、搾取の網

自然志向に関する誤謬

前章でネイチャーライティングの代表的作品をみてきたが、アメリカでは、理論派エコクリティックを中心にネイチャーライティングを批判する動きが早くから生じ、二一世紀に入るとネイチャーライティングは公然と周縁化された。

エコクリティシズム初期に注目されたネイチャーライティングは、なぜその後批判され軽視されるに至ったのか。ひとつには、都市環境や環境正義の問題に研究関心が移るにつれ、ウィルダネスや牧歌的な自然に価値をおくスタンスが偏狭だとみなされたということがある(Armbruster)。また、エコクリティシズムのポストコロニアル的転回を主張したロブ・ニクソンによって、アメリカンネイチャーライティングの白人中心エリート主義が指摘されたことの影響も小さくない。いずれも批判の矛先は、自然と都市の二項対立的思考に向けられている。「自然の死」(キャロリン・マーチャント)や「自然の終焉」(ビル・マッキベン)が告げられて久しい状況

では、都市の喧騒から離れて自然に向かうという牧歌的衝動が現実逃避にみえてしまうのはわからないでもない。しかし、西部の荒野へ向かったアビー、北極圏を旅したロペス、郊外の野生に耽溺したディラードをはじめ、二〇世紀後期ネイチャーライターが向き合った自然とは、理論派エコクリティックが批判の前提としたように、物理的にも概念的にも人間が介在していない〈純粋な自然〉だったのかどうか。これは精察を要する。

〈純粋な自然〉への志向はロマン主義の産物であり、ルソーにさかのぼる。ルソーとその影響を受けた一九世紀ロマン派の書き手たちは、「現実原則のみが支配するこの世界のなかで自己が不適合な存在である」ことを自覚し、そうした世界と断絶して、幼年時代に、夢の世界に、自然に、あるいは虚構の小説的世界に自ら参与することによって、自己の解放と回復を試みた（中川）。ロマン主義的自然は、自己の魂の回復を願う欲望の投影であり、必然的に、事物としての自然を透過した先にある。このようなロマン主義的欲望は、現代ネイチャーライターに絶大な影響力をもつエマソンやソローの文章において「超越論的交感の世界」に結実した（野田）。現代ネイチャーライティングは、こうしたロマン主義の系譜を引いているとはいえ、自然を超越論的に概念化しようとはしていない。自然の事物性への気づきが見てとれるのである。

理論派エコクリティックによるアメリカンネイチャーライティング批判が、ネイチャーライティングが都市を離れて自然へ向かうことをもってロマン主義的で時代錯誤的だとみなす見方にもとづいているのだとすれば、問題は作品にあるというよりも、批評する側の先入見にあると言えなくもない。ウィルダネスや野性への指向が純粋な自然を措定している、という発想そのものが「時代遅れの固定観念」と言えるのであり(Voie)、自然志向に関する誤謬がネイチャーライティング批判を増殖させていると考えられる。

環境正義エコクリティシズム

自然と人間社会の二項対立的構図に囚われているのはネイチャーライターなのかエコクリティックなのか、という問題はあるものの、大きな流れとして、エコクリティシズムの関心は「自然」から「環境」へと移っていった。自然環境と人間の生活・社会環境を截然と分け隔てるのではなく、それらの錯綜に光が当てられていったのである。具体的には、自然と都市を二項対立的にとらえない「都市のなかの自然（アーバンネイチャー）」という考え方、そして、人種差別をはじめとする社会問題と環境問題の結びつきを指摘する「環境正義」という概念が、エコクリティシズムに浸透していった。アーバンネイチャーは次節で取り上げることとし、ここでは環境正義に着目するエコクリティシズムの動きをみていこう。

環境正義は「健康な環境によって与えられる利益をすべての人が等しく分け合う権利」を指し、ここでいう「環境」とは、「人が生活し、仕事をし、遊び、崇拝する場所」(Adamson, et al.)、つまり日常の生活環境をいう。ただし、たとえば大気汚染のために清浄な空気を享受できない東京都心の日常生活は環境正義の問題に該当するのかというと、そうではない。環境正義は、健康な環境を奪う社会的差別とその暴力を問題化しているのである。

アメリカでは、環境正義は「環境人種差別(レイシズム)」に対する社会運動から生まれた。白人中流階級をはじめ健康な環境を享受する人たちがいる一方で、社会的弱者は環境汚染の被害を受けやすい。じっさい、先住民の居留地は資源採掘による汚染にさらされ、有害廃棄物処理場や化学工場は黒人や貧困層の居住地に集中している。こうした環境人種差別を社会正義の問題と結びつけたのが環境正義であり、アメリカではマイノリティの権利に焦点を当てて運動が展開した。もともとローカルな草の根運動としてはじまったが、全米五〇州、プエルトリコ、チリ、メキシコ、マーシャル諸島から一〇〇〇人以上が参集した第一回全米有色人種環境リーダーシップサミット(一九九一年にワシントンD.C.で開催)で一七の「環境正義の原則」が採択され、環境正義はローカルかつグローバルな問題として認識されていった。

エコクリティシズムに環境正義の見地を導入した論文集の序論で、編者のジョニ・アダムソンらは、環境正義に関して文学が果たす役割を政治、詩学、教育の三つの点から論じている。それぞれ簡単にみていこう。

まず、文学研究はどのような点で環境正義に政治的に関わるのか。従来の学問が既に生じた問題の事後検証をおこなうのに対し、環境正義に関わる人文学研究は、事前対策を意識しておこなわれるべきだと論じられている。具体的には、一次資料とフィールドワークをもとに、各地の環境的・社会的不公正を指摘し、不公正(不正義)に対する地元の抵抗(これには文学で表現されたものも含まれる)を検証し発表することにより、環境正義を政治的かつ効果的に押し進めるプラットフォームの形成に貢献できるという。

環境正義をめぐる詩学は、文学研究の得意とするところだ。環境と心身の健康は実生活の問題であり、生活者の経験や実感は数字やデータに変換できるものではない。そこで、物語やイメージを通して生活者の経験や実感に表現を与える文学やアートが環境正義の取り組みにおいて重要な資料となる。また、環境正義エコクリティシズムは、マイノリティに対する差別を環境表象の点からあぶり出し、文学と物理的環境の関係というエコクリティシズムの主題に人種やジェンダーの視点を根づかせる役割も果たす。

教育面では、理論と実践を結びつけることの重要性が強調されている。環境正義という問題域は、エコロジーの信条を、文化、経済、政治が複雑に絡みあった網の目においてとらえることを求める。環境問題と社会的不公正の関係を、知識としてだけではなく、実感をともなって理解することを促す授業実践やコミュニティ活動のケーススタディを含むアダムソンらの論文集は、外部に開いた学術研究というエコクリティシズムの基本姿勢を発展的に踏襲していると言える。

ポストコロニアル的転回

環境正義エコクリティシズムは、人種的・性的マイノリティや貧困層が置かれている生活環境に注意を促し、環境問題と差別の結びつきを可視化したが、考察の目はもっぱらアメリカ国内に向けられていた。そうした動向を批判し、国境をまたいだグローバルな環境破壊と社会的不公正に注意を向けることを要請したのが、『緩慢な暴力と窮民をめぐる環境主義』(二〇一一年)の著者ロブ・ニクソンである。この本でニクソンは「緩慢な暴力(スロー・バイオレンス)」という概念を提唱し、「緩慢で長期間持続する災害や禍害、言い換えれば、時間をかけて破壊が進む一方で、私たちの刹那的な集中力の外にある——そして見せ場(スペクタクル)を求める企業メディアの圏外にある——災害や禍害」に対するアメリカのエコクリティックの無頓着ぶりを指摘した。

アメリカのエコクリティシズムにおいて国外の環境問題が取り上げられない理由として、ニクソンは先の引用で言及している二点、すなわち現在起きていることしか目に入らない刹那的な集中力と、見せ場（スペクタクル）を求める心性に加え、空間的無関心を挙げている。これら三点を一挙に示す例がマーシャル諸島の災害である。広島と長崎への原爆投下の翌年、アメリカ合衆国は、太平洋の中心に位置する信託統治領、マーシャル諸島を核実験地とし、一九五八年までのあいだにビキニ環礁とエニウェトク環礁で六七回の大気圏内核実験をおこなった。このことはアメリカ国内では過去のことかもしれないが、現地の放射能汚染はなくなったわけではなく、健康被害や先天性異常が依然として多い。緩慢な暴力という概念は、先進国主導の環境主義が植民地主義と関わっていることをあぶり出してもいるのだ。

ニクソンは、二〇〇五年に発表した論文「環境主義とポストコロニアリズム」（前述の著書に再録）で、エコクリティシズムとポストコロニアリズムが相互に補完することの必要性を主張した。ニクソンの見解を要約すると、おおむね次のようになる。当時のアメリカのエコクリティックは自国中心主義的であり、国内の環境問題には敏感だが、たとえば世界的に報道されたナイジェリアの環境破壊による「緩慢な大量虐殺」（サロ＝ウィワ）――ナイジェリアの少数民族オゴニの土地に目をつけた大手石油企業シェルが軍事政権と手を組んで石油採掘を強行し、それによって水や土壌が汚染され、生活環境を破壊されたオゴニ民族の生存が脅かされている状況――には無関心であった。オゴニの作家ケン・サロ＝ウィワ（一九四一―一九九五年）が率いるMOSOPオゴニ民族生存運動の闘争は、軍事政権によるサロ＝ウィワの逮捕、拘禁、そして一九九五年の処刑に至って世界中の知るところとなったが、エコクリティシズムでは話題に上らなかった。その原因は、「知的地平線の彼方に消えるアメリカ以外の場所に対する空間的健忘症」にあるとニクソンは指摘する。一方、ポストコロニアリズムでは、環境への関心はエリート主義的で、政治と直接関係がないとみなされているが、サロ＝ウィワの生存をかけた闘争に例証されるように、環境搾取と植民地主義は密接に結びついている。ニクソンはおおよそのように述べ、空間的・歴史的視点をもつポストコロニアリズムと環境的視点をもつエコクリティシズムは、相互参照することにより、中央／周縁というパラダイムを解体し、真に多様性を包含した文学研究を目指すべきだと主張する。

ニクソンの論文はエコクリティシズムに大きな波紋を投じ、以降、アメリカ内外の環境の問題を比較研究的ないし国境横断的なアプローチから研究する動きが明確にみられるようになった。ただし、ニクソンの主張には強引なところもある。たとえば、ネイチャーライティングにみられる野性志向をアメリカの開拓神話を補強する「エコナショナリズム」として斬って捨てているが、これはあまりに一面的だ。ネイチャーライティングで注視される野性は、人間社会をその外部から相対的にとらえる新しい視点を提供する。その意味で、野性への着目は、ポストコロニアリズムをはじめ人間社会内部で人間社会の問題を論ずる文学批評の盲点を突いている。アメリカンネイチャーライターの野性志向に、ニクソンのいう「空間的・歴史的健忘症」がみられることは否めないが、暴力や差別や分断の世界の彼方を想像するよりどころとしてネイチャーライターが野性に着目している点は留意すべきである。

アフリカの国立公園が意味するもの

「オゴニ人にとってはその土地とそこに生きる人々とは切ってもきれない関係」にある、とサロ＝ウィワが著書で記しているように、畑を耕し魚をとって生活するオゴニにとって、環境破壊は生存の問題に直結する(ちなみに「オゴニ」という言葉は土地とその住人の双方を指す)。オゴニで起こったことと同じことが、二一世紀のコンゴでも起きた。

『ヴィルンガ』(二〇一四年)というドキュメンタリー映画をご存知だろうか。コンゴ民主共和国の北東部、ウガンダやルワンダとの国境近くにあるヴィルンガ国立公園(一九七九年にユネスコ世界遺産に登録)の保護および周辺住人の生存闘争を記録した作品である。

一九世紀後期のアフリカ分割によりベルギー領となったこの土地には、世界的に希少なマウンテンゴリラの棲む生物多様性に富んだ森が広がり、一九二五年に森一帯が国立公園に指定された。一九六〇年にコンゴは独立を果たしたが、天然資源を狙う欧米政府も関与して独立運動指揮者ルムンバが処刑され、無法地帯化した。二一世紀に入って政権が安定しはじめるも、二〇一〇年に一部が公園敷地内にあるエドワード湖で石油が発見されると、政情は再び不安定になり、イギリスの石油企業ＳＯＣＯ（現在 Pharos Energy に社名変更、コンゴから撤退）と手を組む政府軍と反政府勢力の対立闘争が激化した。

植民地主義と資本主義、およびそれに便乗する現地権力が住人の生存を脅かすという構図は、サロ＝ウィワの描くオゴニのケースと相似する。ここでいう「生存」とは、単に生き延びるということではなく、サロ＝ウィワの作品で強調されているように、人間として誇りをもって生きることを意味する。言い換えれば、人権としての生存である。オゴニとヴィルンガは環境正義をかけた戦場なのだ。

なぜ『ヴィルンガ』に言及するかというと、国立公園に体現される野性が人間にとって重要なよりどころになっていることが、アメリカンネイチャーライティングと共通するからである。映画で、ヴィルンガ国立公園のレンジャー（自然保護官）は口をそろえ、命がけで国立公園を護ると断言する。かれらの主張が自然保護のイデオロギーに染め上げられたものでないことは、当地の緊迫した情勢を考えれば明らかだ。レンジャーの一人は、国立公園へ来たのは軍から逃れる唯一の方法だったと語る。その公園内もけっして安全ではなく、ゾウやマウンテンゴリラの密猟が横行しており、片時も銃が離せない。また、マウンテンゴリラがいなくなれば国立公園を保護する理由がなくなり、資源採掘が自由になると考える開発派が潜入し、ゴリラを虐殺する。殺されたゴリラを、地元住人は丁重に弔う。親を失くしたゴリラたちは、公園内の施設でレンジャーによってわが子同然に世話され、健康と活力を取り戻していく。『ヴィルンガ』では、そうした人とゴリラの関係を経糸（たていと）に、石油や鉱物資源をめぐる争いと暴力を緯糸（よこいと）に、ストーリーが織り上げられる。

映画中盤、政府軍と反政府勢力の戦闘が激化し、住人たちは集落を去ることを余儀なくされる。泣き叫ぶ子どもたち、銃弾に倒れた住人が映し出される。公園内にも銃撃音と爆音が轟き、怯えたゴリラたちがレンジャーにくっついて離れない。恐怖と不安から衰弱した一頭は、翌朝に息絶えた。飼育担当のレンジャーはこう語る。「人は誰でも生まれてきた意味を探します。ゴリラたちといるとそれがわかる気がするのです」。ゴリラと一緒にいると生きていることの意味が腑に落ちるというのだ。マウンテンゴリラを、野生動物を、その生息地である国立公園を命がけで護るのは、争いや分裂の絶えない社会において、国立公園こそが、生きているという実感の保護される唯一の場所だからだということを、『ヴィルンガ』は映像と言葉で伝えている。イギリスとコンゴが共同製作したこの映画は、数々の映画祭で受賞し、アカデミー賞候補にもなった。

アメリカの国立公園が意味するもの

これがアメリカの国立公園を舞台とした作品だったらどう受け取られるのだろうか。ネイチャーライティング同様、野性を美化していると扱き下ろされるのだろうか。『ヴィルンガ』には、命を育む森と暴力が横行する町が対立的なかたちで映し出されており、自然と都市の二項対立的構図が読み取れるが、数々のレビューを見ても、この映画を自然礼賛的だと批判する向きはない。アメリカンネイチャーライティングの野性志向は問題だがアフリカの国立公園保護の話はそうでないとするならば、それはどのような判断基準によるのか。

ニクソンの論文以降、ネイチャーライティングにおける野性志向は、アメリカ開拓神話の底流を成す植民地主義と結びつけられることが少なくない。そのことを承知の上で野性について書き続けているネイチャーライターに、テリー・テンペスト・ウィリアムス(一九五五年―)がいる。『ヴィルンガ』公開から時を経ずして出版されたウィリアムスの『大地の時間』(二〇一六年)は、アメリカの国立公園を主題とし、ナチュラルヒストリーから哲学的思索に至るネイチャーライティングの多様なスタイルを駆使して、現代アメリカにおける野性の重要性を説いた書である。その冒頭を引用しよう。

ビッグベンド国立公園では、干ばつのためリオ・グランデ川の水量が減り、現地では砂のリオ川と呼ばれている。アメリカとメキシコを分け隔てるこの川は、ところどころ、一〇歩足らずで歩いて渡れるほど浅い。アメリカの子どもたちが川に石を飛ばして水切り遊びをしている。水面を一、二、……三回跳ねたら石はもう向こう岸だ。その石をメキシコの子どもたちが拾い、ボキラス峡谷の対岸に向けて水切りする。この遊びは親が口を出すまで続く。リオ・グランデ川の一方の岸辺には観光客が立っている。もう一方の岸辺では、男たちと少年が山羊を追い集めている。国境を侵すと逮捕されるが、これはアメリカ人であろうとメキシコ人であろうと関係ない。国境警備隊は至るところにいる。国境線を越えて水面を跳ねる石のように、クロツキヒメハエトリ(ブラックフィービー)が時おり水面をかすめながら川を超えて飛んでいる。二一世紀の今、境界は固定しておらず流動的だが、アメリカの国立公園では特にそうだ。

ここには、対立や分裂を深める大人の社会と、人工的境界が意味をなさない子どもと自然の世界が対置されている。文学作品の書き出しは作品全体と相関しあっていると言われるように(中村)、引用した冒頭の構図は『大地の時間』全体に及び、国立公園に体現される野性が人間社会の争いや分裂と対蹠的なものとして位置づけられている。

国立公園は世界各地に設置されているが、その発祥地であるアメリカ合衆国で国立公園が生まれた背景に、戦争があったことはあまり知られていない。全米初、すなわち世界初の国立公園は一八七二年にイエローストーンに設置されたが、ウィリアムスによれば、国立公園というヴィジョンはそれより数年遡った南北戦争のさなかに芽吹いた。一八六四年、リンカーン大統領の署名によりヨセミテ州立公園(その後、敷地を拡大して一八九〇年にヨセミテ国立公園となる)が誕生した背景には、国を二分した南北戦争の傷を癒やし、分裂した国民がひとつになるような平和への希望が込められていたのである。アメリカでは、ドナルド・トランプの大統領就任以降、かつての傷口が露呈したように、国を二分する争いがかたちを変えて連綿と続いているが、そうした歴史的社会情勢を凝視した末に行き着いた野性論が『大地の時間』なのである。

『大地の時間(The Hour of Land)』という書名は、一九世紀のアメリカ人詩人、エミリー・ディキンスン(一八三〇―一八八六年)の「鉛の時間(the Hour of Lead)」という言葉を下敷きにしている。生涯の大半をニューイングランドの生家で過ごしたディキンスンと、アメリカ西部荒野のナチュラリストであるウィリアムスは、一見するところ別種の書き手のように見える。しかし、南北戦争で銃弾に倒れた人の死が、鉛のように重く心にのしかかるなかで詩に向かったディキンスンのように、ウィリアムスは、国立公園の危機的状況に対するやりきれなさに圧しつぶされそうになりながら言葉を絞り出しているのだ。

『大地の時間』に描かれる国立公園は、都市からの避難所ではなく、人間の尊厳を保護する最後の砦である。「謙虚さは野性において生まれる。私たちがグリズリー(ハイイログマ)を絶滅から護っているのではなく、かれらが私たちを経験の絶滅から護ってくれているのであり、だからこそ私たちは自分自身を超える世界と関われるのだ」というウィリアムスの見解は、ゴリラたちといると生きていることの意味が腑に落ちるというヴィルンガのレンジャーの言葉と響きあってはいないだろうか。

アメリカの国立公園は、シェールオイルやシェールガスの採掘をはじめとした搾取と開発の圧力にさらされ、行く末は不安定だ。「これは鉛の時間である/生き延びれば　思い出すだろう」と戦時中に綴ったディキンスンに背中を押されるかのように、ウィリアムスは、「もし私たちの国立公園が未来に生き残れるとすれば、国立公園は変容の現場となり、そこでは支配と使役のパラダイムが終焉し、連帯の展望が始まるにちがいない」と記す。『大地の時間』に刻まれた野性への希望と祈りは、『ヴィルンガ』の現地レンジャーや住人のそれと通底する。

アフリカでもアメリカでも私利私欲のための争いや暴力が絶えない。無論、アフリカとアメリカでは社会情勢も衛生環境もちがい、生存をめぐる危機の度合いは異なるが、「支配と使役のパラダイム」を内破する生の全肯定は同じひとつの体験なのではないか。野性が資本主義の搾取に対する抵抗および尊厳ある生の台座であることを、『ヴィルンガ』と『大地の時間』は示している。

2　都市のなかの自然（アーバンネイチャー）――『兎の眼』と『オレンジ回帰線』

ハエと少年

この節では、都市のなかの自然（アーバンネイチャー）という観点から文学作品を考察する。最初に取り上げるのは、児童文学として名高い灰谷健次郎（一九三四―二〇〇六年）著『兎の眼』（一九七四年）である。公害や環境正義といった問題に接続するこの小説は、環境文学としても示唆に富む。

『兎の眼』の舞台は、戦後から高度経済成長期に移行する関西の下町である。H工業地帯(阪神工業地帯のことであろう)の姫松小学校には、住宅街や商店街に加えて、地元で「処理所」とよばれる塵芥処理所の子どもたちが通う。三基のゴミ焼却炉をもつ処理所は、一九一八(大正七)年につくられた旧式で、煙突から出る煙と臭いはすさまじく、学校にも人家にも灰が降り、住人による抗議が絶えない。人力で操業される処理所の現場は劣悪で、ふんどし一枚で灰まみれになって焼却後の灰の取り出しにあたる作業員は、灰の中のスプレー缶の爆発やガラスの破片による怪我などの可能性がある危険な労働環境におかれている。作業員は、処理しきれないゴミの発酵臭と熱でむんむんする敷地内の長屋で暮らしており、子どもたちはそこから学校に通う。児童数約二〇〇〇人のマンモス校とあるので、昭和の第一次ベビーブームの世代が小学生だった時代に物語が設定されているのだろう。作中に「大八車」(人力で引く荷物運搬用の二輪車で、昭和三〇年代頃まで使用されていた)が出てくるのも、その時代設定と符合する。

物語は、処理所で祖父と暮らす小学一年生の鉄三と、彼の担任である新任教員の小谷芙美(ふみ)を中心に展開する。鉄三は長屋で何種類ものハエを飼育しており、学校ではそれを不衛生だとして鉄三に給食当番をさせることの是非が議論される。一方、処理所の子どもたちは、「鉄ツンはハエをものすごくかわいがっとんや。みんなが文鳥を飼ったり金魚を飼ったりするのとおなじやろ」と、衛生観念でハエをとらえることがない。自然への興味や愛着という意味では、ハエを飼おうと文鳥を飼おうと同じなのだ。鉄三の保護者である祖父のバクじいさんも、処理所の子どもたちと同意見である。

> 山へつれていってやれば鉄三は虫を飼うと思います。川へつれていってやれば魚を飼うと思います。けんど、わしゃどこへもつれていってやらん。こいつはゴミ溜めのここしかしらん、ここはセンチムシとゴミムシと、せいぜいハエぐらいしかおらんとこや。鉄三がハエを飼うのはあたりまえといえばあたりまえの話やと、わしゃ思うたんですわい。

小谷先生は鉄三にハエの飼育をやめさせるために処理所を訪ねたのだが、バクじいさんの言葉が胸に刺さり、固定観念でものごとを判断していた自分を恥じる。処理所の子どもたちは、学校になじまず一言もしゃべらない鉄三を仲間として受け入れ、「鉄ツンはかわりもんやから苦労するやろ」と小谷先生に労わりの言葉をかけるなど、のびのびと大人に接する。処理所の子どもたちとの交流が深まるにつれて、小谷先生の固定観念に入った亀裂が大きくなる。先生は鉄三とともにハエの研究に取り組み、ハエの生態を知るにつれて、「人間はあんがいハエのことを知っていないのではないか」と考えるに至る。固定観念の殻が破けてあらわになったのは、他者を思いやる心であり、それが処理所の子どもたちに体現されているのであった。

かれらが思いやるのは人間だけではない。ハエ、鳩、犬など処理所の生きものも子どもたちにとっては仲間同然だ。徳治の大事にしている鳩のキンタロウがいなくなるとみんなで血眼になって探し、鉄三が飼っている犬のキチが野犬狩りに捕獲されたときには周到に奪回作戦を練って実行する。ハエや野良犬は一般的に邪魔者扱いされるが、処理所の子どもたちにとっては自分たちと横並びの存在にほかならない。山に虫が、川に魚がいるように、処理所にはハエや野良犬がいる。社会的規範に染め上げられていない処理所の子どもたちにとって、ハエや野良犬は、感受性を刺激してやまない野性＝自然なのである。

きれいは汚い、汚いはきれい

ハエも野良犬も一般的に不潔だとして忌避される。風呂に入らない処理所の子どもたちも、学校で不潔のレッテルを貼られる。私たちは清潔／不潔の区別を自明だと思っているが、ジュリア・クセルゴン『自由・平等・清潔——入浴の社会史』で論じられているように、「清潔」

は一九世紀にブルジョワジーによって形成され規範化された意識にほかならない。日本でも、清潔という概念は、衛生学の普及と国民性形成という近代化の波のなかで、イデオロギーとして身体化された。「自然」と同様、「清潔」もつくられたものなのである。

そのようにみると、処理所の子どもたちが不潔だというよりも、かれらを不潔とみなす学校＝近代国家の言説がそのような見方を自明なものにみせていると言える。「清潔とは不潔を見つけ出すことでもある。その側面が強調されるとき、清潔という概念の価値づけは、私たちとは異なる／理解しがたい他者を探させ、見つけ出し、排除する流れをもたらす」(川端)と指摘されるように、清潔／不潔の区別は、高等／劣等、善い／悪いという価値判断と結びついて差別の温床となる。『兎の眼』では、処理所の住人に対する差別が描かれるが、差別する側の判断には「清潔」という近代的価値観が絡んでいるのである。

ハエに対する忌避と処理所の人たちに対する差別は、構造的に類似する。ここで興味深いのは、鉄三と祖父の食事に関する描写だ。鉄三を気にかける小谷先生を労り、バクじいさんが夕食をふるまうのだが、そのときの献立が舌ビラメのムニエル、マッシュルーム入りストロガノフ、ボルシチ、シバエビのサラダであった。「いつもこういうぐあいにはいきませんわい。けんど、たべるものはだいたい、ちゃんとしたものをたべさせております」という老人の言葉を聞いて、小谷先生は給食時の鉄三のマナーのよさに合点がいく。

バクじいさんはなぜ日々の食事を重視するのか。処理所の長屋生活は、親が姿を消して食べるものに困ったときの保険として、給食のパンを持ち帰る子どももいるほど切羽詰まっている。長屋に住むバクじいさんの生活状況も似たようなものだろう。だが、この老人は「ちゃんとしたもの」を食べることに価値をおく。そこに彼の信念がある。食べることは生きることであり、「ちゃんとしたもの」を食べることは、ちゃんと生きることを意味する。老人が小谷先生に語った次の話にそのことが仄めかされている。バクじいさんが大学生だった頃、彼には韓国併合後の母国について研究していた朝鮮出身の親友がいた。その親友は日本の国家権力による拷問の末に命を落とし、そのことに始まる一連の権力の暴力に苦しんだ若きバクは自暴自棄になった。しかし、非業の死を遂げた親友が体現していた人間の尊厳に思いが至り、以後必死に生きているという話である。

バクじいさんの生き方とは対照的に、社会では食の汚染が横行しており、「ぬかみその中に防ふ剤か着色剤かなにかハエのきらう化学物質がはいって」いるという始末だ。腐らない、見た目がよいということに価値をおく発想は、清潔というイデオロギーと無関係ではない。『兎の眼』が刊行された一九七四年といえば、化学物質による食の汚染を取り上げた有吉佐和子の小説『複合汚染』の新聞連載が始まった年（一九七五年に単行本として刊行）だが、きれいに見せかけた食べものが化学物質で汚染されており、そうした食べものには人が汚いとみなすハエすら近寄らないという事実を小説に忍ばせているところに、自然をめぐる灰谷の慧眼が見てとれる。

きれい／汚いという二項対立的見方は、自然／都市を截然と分け隔てる見地と重なる。スモッグ警報が日常的に出される都市に自然などあろうはずがない、と思い込んでいるうちは、自然に感動するような態度でハエに接することはない。ハエの生態を調べ始めた小谷先生は、「ハエが悪いのじゃなくて、暖かくなってくさったものとかゴミを出す人間が悪いということになる」という客観的知見を得たり、夫婦喧嘩の後やけ酒を飲んでいた孤独な夜に酒瓶にとまったハエに慰められたりするなかで、ハエを人間社会の外部、すなわち自然として認識し始めた。このように『兎の眼』は、都市のなかの自然（アーバンネイチャー）が固定観念をほぐしていく物語でもある。

空き地と基地

作中にほんの少ししか登場しないが、「せっしゃのオッサン」もまた、人間と環境の関係を考える上で興味深い存在である。このオッサンは空き地の土管を寝ぐらとする、いわゆるホームレスで、小谷先生と子どもたちが窮地に立たされた場面に飄々と現れて問題を解決する救世主的役柄だ。

役所に捕獲された犬のキチを連れ戻そうとした処理所の子どもたちは、公用トラックの檻を壊してしまう。その弁償金を捻出するため、子どもたちと先生有志が「クズ屋」（紙屑などの廃品の売買）をするのだが、なかなか廃品が集まらない。落胆した小谷先生の班が空き地で一休みしていたときに「土管の入り口」から姿を現したのが、このオッサンであった。

「オッチャンこじきか」と屈託なく聞く子どもに、「むかしはこじきでありましたが、いまはこじきではありませぬ」とこたえ、若い女性教師と子どもたちがクズ屋をやっている経緯を聞いて、「せっしゃは現代がきらいでござる。電気も自動車もみんなきらいでな（……）よし、それではせっしゃにまかされよ」と大八車を颯爽と引いて家々の並ぶ路地に向かう。オッサンの姿を見て町の子どもたちが駆け寄ってくるという人気ぶりだ。男は、「本日はせっしゃがクズをちょうだいするのではござらん。せっしゃ一生一代の善行。ここにおられるのは、その名も高き姫君先生じゃ。クズ屋は世をしのぶかりの姿。先生は慈悲も大慈悲観音菩薩、小児マヒの教え子のために連日連夜、入院資金を調達してござる」と、朗々と嘘八百を並べたて、「さあさあいそいでクズをもってまいられい」と言うが早いか廃品が集まる。また、物語の終盤、処理場の作業員に対する待遇をめぐるビラ配りが難航する場面でも、小谷先生たちはせっしゃのオッサンに助けられる。

せっしゃのオッサンは、現代文明に背を向けた生き方を体現した人物であるが、ここで注目したいのは、彼の寝ぐら＝ホームが「大きな土管のある空地」だということだ。空き地は公園とは違うし、単に空いている土地でもない。空き地は、「誰にも属さない、ゆえに誰にでも開かれたように感じさせる場」（赤坂）であり、だから、せっしゃのオッサンは締め出されるでも独り占めするでもなく、空き地をホームとしていたのである。現在、そのような空き地はあるのだろうか。空き地のように見える土地にはことごとく「立入禁止」の看板が立てられているのではないだろうか。

『ドラえもん』分析にもとづいて空き地論を展開した赤坂真理によれば、空き地は高度経済成長の波にのまれて消滅した。高度経済成長期前夜に時代設定された『兎の眼』では、かろうじて空き地が残っているが、それもまもなく消える運命にある。というのも、空き地に置かれた土管は、下水道工事の着工すなわち近代的生活の推進を意味しているからだ。近代化とともに生活排水が下水道に流され、トイレが汲み取り式から水洗に変わるが、これもまた清潔／不潔の発想と地続きであることは言うまでもない。土管のある空き地は、共有空間としての空き地の最後の姿であった。

赤坂によれば、空き地は「私有地を、所有権を主張することなく全く地域に開放する」という「旧階級の作法」によって存在していたのであり、その意味で、日本が近代国家を目指す前の「武士階級の最期」を象徴する。時代劇じみたせっしゃのオッサンが武士階級の存在していた時代の名残りなのだとすれば、その人物造形に込められているのは、近代化＝私有化によって囲い込まれる前の人間の寛容さであると言えよう。

住宅街の空き地に相当するのが、処理所に子どもたちが廃材でつくった「基地」である。これは、子どもたちが「いたずらをするときの根拠地」であり、「しかられて家をほうり出されたときの仮りのすまい」だ。処理所には小学一年生から六年生までいて、なかには読書家として一目置かれている子もいる(その子がシートンのオオカミ王ロボの話をして子どもたちが引き込まれる様子も描かれている)。年齢も性格も異なる子どもたちの、子どもたちによる、子どもたちのための自由、その象徴が基地だ。

処理所の子どもたちの基地は、子ども同士の信頼関係と、そうした子どもたちを信頼する大人たちの寛容さを映し出している。犬のキチが野犬狩りにあったときに子どもたち全員がひどく動揺したのは、キチ＝基地の危機を感知したからだと言いたくなるほど、基地は、人間と人間ならざるものが同じ仲間である人間以上（モア・ザン・ヒューマン）の共同体の場なのだ。

そのような基地は、今では文学空間にしか残されていないのかもしれない。『兎の眼』とほぼ同時期に刊行されたミヒャエル・エンデの『モモ』（一九七三年）もまた、昔の円形劇場跡という空き地を「あたしのうち」とよぶモモ――「清潔と身だしなみをおもんずる人なら、まゆをひそめかね」ない見かけをした、犬や猫やコオロギやヒキガエルだけでなく雨や風のことばもわかる子ども――の物語である。『兎の眼』や『モモ』は児童文学に分類されているが、人間（ヒューマン）のドラマが人間以上（モア・ザン・ヒューマン）のドラマでもある両作品は、かつて子どもすなわち小さき人だった大人にこそ読まれるべきものだ。

基地や空き地で育まれた感受性がかろうじて文学に保存されているのだとすれば、そうした作品を読むことは何を意味するのだろうか。昔はよかった、という懐古的な見地を強化するのだろうか。そのような面はあるかもしれないが、それだけではないだろう。空き地の消滅とともに葬られた人間以上（モア・ザン・ヒューマン）の共同体の感覚が文学を通して腑に落ちるとき、現在を新たな目でとらえることができるようになる。それはひいては、現代社会が突き進もうとしている未来とは別の未来を想像する足場になるはずだ。

北回帰線が動くとき

ここまでアーバンネイチャー(urban nature)を「都市のなかの自然」と書いてきたが、これは nature in city と同じではない。都市(シティ)が田舎と異なる形態を指す一方で、都市的(アーバン)なるものは二〇世紀の工業化を通じて「地球規模的に全般化」した(大澤)。田舎とよばれる地域も都市的な均質空間へと変容したのである。「想像上の牧歌的理想郷のアンチテーゼとして都市をとらえるのをやめてはじめて、都市空間を自然と文化の統合されたものとして検討することができる」(Gandy)。都市のなかの自然(アーバンネイチャー)は、都市/田舎、文化/自然といった二項対立的概念構造を脱臼させ、都市と自然のハイブリッドに想像力を向かわせるのである。

赤道、回帰線、日付変更線など地図上に引かれた線も、文化的につくられたものである点で自然という概念と相似する。これらは線として視覚的に表されていることから、そのような線があたかも物理的に存在しているかのように思わせるほど固定化された概念である。日本から北米へ向かう機中で、ただいま日付変更線を通過しました、というアナウンスを聞いて、地図上の折れ線が目に浮かんだことのある人もいるだろう。そうした地図上の線が、固定性の呪縛を解かれて動いたり曲がったりしたらどうなるだろうか。たとえば北回帰線を思い浮かべてみよう。メキシコ、アルジェリア、エジプト、インド、台湾など、夏至に太陽が真上にくる地域を通る北回帰線。それが、ある一点からロープが引っ張られるように、メキシコから北へ突き出すかたちでロサンゼルス(LA)の方へと動いていったら……?

カレン・テイ・ヤマシタ(一九五一年—)の『オレンジ回帰線』(一九九七年、未邦訳)は、北回帰線の侵入に伴うLAの変容を描いた小説である。メキシコから移動するオレンジの実に引っ張られるかたちで北回帰線がLAに喰い込み、グローバルサウスの時間・空間が割り込んで都市に混乱をもたらす。移動する北回帰線もといオレンジ回帰線の出現により、グローバルノースの均質な空間と時間が歪み、フリーウェイで大規模な玉突き事故と火災が生じ、車社会LAが機能不全に陥る。こうして概念の攪乱と都市空間の捩れが連動したかたちで、夏至の月曜日にはじまる一週間の物語が展開する。

一見するところ、この小説は環境問題と直接的には関係がないようにみえるかもしれない。じっさい、『オレンジ回帰線』を論じた研究には、グローバル経済(小説出版の三年前に発効した北米自由貿易協定(NAFTA)が戯画化されている)や人種・エスニシティ問題(主要登場人物は非白人や難民である)などの社会問題に焦点を当てたものが少なくない。しかし、この小説はまぎれもなく人間と環境の関係を主題としている。管啓次郎との対話でヤマシタは、「資本主義は(人類に対する罪であるどころか)地球という惑星に対する罪だとすらいいたいほどです」と言い、「こうした言い方のすべてがあまりに単純すぎると聞こえるかもしれません。だったら、どうすればいいのでしょうね。情報をリサイクルさせることも、ただ物語ることも、十分ではないでしょう」と述べている。別の著作に関することとはいえ、この発言には地球環境問題を文学的課題とするヤマシタの態度が明快にあらわれている。資本主義を批判するでも、情報を共有するでも、「ただ物語る」でもない、地球環境問題への文学的アプローチを模索するこの作家の試みのひとつが、『オレンジ回帰線』における概念の攪乱だ。

境界をかき回す

オレンジに引っ張られて北回帰線が動くという展開をはじめ、『オレンジ回帰線』ではあらゆる概念がかき回される。小説の書き出しからして既にそうだ。長くなるので中略しながら物語冒頭を引用しよう。北回帰線が敷地を通るメキシコのマサトラン近辺にある家の朝の掃除の場面である。

　ラファエラ・コルテスは朝中ずっと裸足で、ベッドの上や下、ドアやシャッターの後ろ〔……〕から、生きものや死骸を箒で掃いていた。〔……〕毎朝、蛾、蜘蛛、トカゲ、甲虫など、昆虫や小動物の山ができ、壊れやすい身体が次々に掃かれて空中に舞いながら、砂っぽい土や蜘蛛の巣や髪の毛と一緒に集められた。イグアナ、蟹、ネズミ。サソリもいた——いつも死骸で、もろい背中が真ん中で折れていた。〔……〕どれだけ掃き出してもどれも常に家の中にまた戻ってくるのだった。〔……〕日が暮れ始めるのと同時にドアやシャッターを閉めても、厳重に戸締りして何日か家を空ける場合でも、事態はなんら変わらない。毎朝、家が陽光に向かって開け放たれるとき、彼女には室内で眠っていたのが自分と息子だけではないことがわかっている。

どれほど注意しても人の居住空間に虫や小動物が絶えず侵入し、それらを箒で掃き出すことが毎朝の日課になっているということに、自然と文化の境界を定めようとすることの無益さや不可能性が示唆されている。いくら閉め出そうとしても自然は難なく人間の領域に入り込んでくるのだが、ラファエラはそれを特に気にする様子はなく、ただ単に自分のテリトリーを守ろうとしているようにみえる。言い換えれば、自然と文化をきっちり分け隔てるというのではなく、それらのもつれあい、せめぎあいに日々向き合っているという印象を受ける。また、海岸から離れたこの町にいないはずの蟹さえいるところに、土着と外来の境界の攪乱を指摘することもできるだろう。

ちなみに、北回帰線は、夏至に太陽が蟹座付近にあることから英語では tropic of cancer（蟹座の回帰線）とよばれており、家の敷地に北回帰線が通っているということを感覚に訴えるかたちで表現するために、蟹を登場させているとも言える。ちょうど北回帰線が通る場所に、家主がわざわざカリフォルニアから運んで植えた——とはいえ、もともとはブラジルからカリフォルニアに持ちこまれたであろう——オレンジの木があり、その枝についた芽から、か細くもしなやかな線のようなものが東西にのび、その線にしがみつくようにして大きくなったオレンジの実が夏至の日に線もろとも地面に落ちて転がり、オレンジ回帰線となって北上するというわけだ。

まぜ返されるのは自然をめぐる概念だけではない。家（ホーム）もそうである。引用した場面の家は、ラファエラが幼い息子とささやかな家庭生活を営む場であるが、それは彼女の家ではない。別居している夫の友人でLA在住の家主に代わり、母子が住み込みで家の世話と管理をしているのである。他者の家で送る家庭生活——あるいはLAの家主から見れば、他者の生活の場と化している我が家——に示されているようなホームの捩（ねじ）れは、『オレンジ回帰線』の随所でみられるが、その最たるものが路上生活者（ホームレス）のホームとしての都市空間である。

ホームとしてのフリーウェイ

「マップ、マップ、そこら中マップだらけだ」と作中で語られるように、LAを縦横に走るフリーウェイの下には何層ものマップ、あるいはそれを構成するグリッドが存在する。太古の地質を基底とし、通常は静かな断層の複雑な模様、天然ガスのパイプライン、上下水道、電線、電話線が地下に走り、「植物、動物、人間の行動にもとづく先史の土地のグリッド」から「土地の使用と所有のグリッド」に至るいくつものグリッドが重なっている。「普通の人はそんなものに注意を払わない」が、ヤマシタは、土地に刻まれた自然と人間の営みの痕跡を聴きとることのできる人物を登場させた。日系三世で元外科医の路上生活者(ホームレス)、マンザナー・ムラカミである。

マンザナー強制収容所(第二次世界大戦中に米国在住日系人が敵性外国人とみなされて入れられたカリフォルニアの荒野の収容所)生まれのこの人物は、大都市を展望するフリーウェイの高架橋に立ってオーケストラの指揮者よろしくタクトを振り、悠久の時間(ディープタイム)や深層史(ディープヒストリー)と渾然となったLAの重層的な現在に耳を傾ける。マンザナー・ムラカミを通して表現されるフリーウェイは、無機質なコンクリートの塊ではなく、土地と人間と機械のジャムセッションの場にほかならない。それは、人が車を操っているのでも、人間が機械に乗っ取られているのでもない、「大都市の大きな鼓動」を響かせる身体としか言いようのないものだ。片側五車線を疾走する夥(おびただ)しい数の車、運転する人間、道路を支える地面、地下に埋め込まれたライフライン、何度も塗り替えられてきた土地の使用形態、そして地球の誕生に端を発する地勢、それらすべてが複雑に絡みあった「大都市の大きな鼓動」を聴きとる路上生活者(ホームレス)は、自然と人工が渾然とせめぎあう都市空間に想像力をのばすヤマシタの分身だと言えよう。

　マンザナー・ムラカミほど「ＬＡになじんでいる(アット・ホーム)者はいなかった」と語られるように、ヤマシタの描く路上生活者(ホームレス)は、家(ホーム)を持たない者ではなく、フリーウェイに象徴される大都市をホームとする者である。ＬＡで生活を送るミドルクラスがそこに家(ホーム)を持っていないという状況を織り込みながら、この小説では、ホームを持つ者／持たない者(ホームレス)の境界がかき回される。都市をホームとして熟知しているという点で、車で空間を移動するのではなく足で動ける範囲で日々を過ごす路上生活者(ホームレス)に比肩する者はいない。そうした発想の転換と、それにもとづく都市の生態をめぐる新たな見方を、『オレンジ回帰線』は促している。

　オレンジ回帰線の出現に伴いグリッドが歪んだＬＡで玉突き事故と火災が発生し、何百台もの車が放棄されたフリーウェイを、路上生活者(ホームレス)たちは〈まち〉に変えていく。各車線にストリート名が付けられ、ビールやコーラやブリトーを積んだトラックはコンビニへと一変する。放棄されたキャデラックは、広い車内でレタスやミニキャロットが栽培されるアーバンガーデンとなる。持ち主をなくした車は路上生活者（ホームレス）によって内装を一新され、「家屋改良」がなされる。ごみはきちんと分別されて収集され、建設現場の簡易トイレが当座の使用を支えており、〈まち〉は清潔そのものだ。朝三時にセットされている近くの庭のスプリンクラーを暖かい日中に作動させてくれればシャワーを浴びるのに都合がよいのだけど、といった要望が出されはするものの、路上生活者（ホームレス）のつくるフリーウェイのまちに混乱はみられない。

車で移動するだけの大多数の人とは異なり、界隈で日々を過ごす路上生活者（ホームレス）は、いわばフリーウェイの土着民である。だから、車が立ち往生してもかれらは平然とし、さらには土着の知恵を発揮して、廃棄された移動空間を居住地に変えていく。移動性を喪失した高速道路に共同体が出現するという展開は、パリ郊外を舞台とするフリオ・コルタサルの短篇「南部高速道路」（一九六四年）と似ていなくもないが、大渋滞で流れが止まった片側六車線の高速道路に芽生えた、車種で呼び合う人たちの共同体を活写したコルタサルの物語とは異なり、ヤマシタの想像力は人間の心理に向けられているわけではない。都市機能を喪失したフリーウェイを媒体としてヤマシタが表そうとしているのは、グローバルノースとグローバルサウスがせめぎ合い、移動／土着、ホーム／ホームレスといった二項対立的概念がまぜ返された先の、エコロジカルな都市空間の肌理（きめ）である。

日系アメリカ人強制収容所の名をもつ人物を登場させたり、子どもの臓器売買を物語に組み込んだりするなど、ヤマシタの環境的想像力は戦争や暴力の現実に触れており、決して空想的ではない。フリーウェイに関しても、その社会的側面を踏まえた上でエコロジカルなヴィジョンが深められている。アメリカに限ったことではないが、フリーウェイないし高速道路の建設や拡張は、住人の立退や再開発といった問題を伴い、近所付き合いにもとづく共同体を分断するなど、社会構造に大きな変容をもたらしている。ヤマシタは、都市社会学者マイク・デイヴィスの『要塞都市ＬＡ』（一九九〇年）に暗に言及するかたちで、自発的ソーシャルワーカーとして路上生活者（ホームレス）の共同体をよく知るバズワームという登場人物にこう語らせている。古くからの共同体を分断するジェントリフィケーション（都市の富裕化現象のこと。再開発などによって都市の貧困層居住地域の地価が高騰し、貧困層が住めなくなる）ではなく、「自分たちでつくった基準や社会的地位による、自分たちのジェントリフィケーション。自分たちでつくりあげる、ＤＩＹジェントリフィケーション。ラティーノのいうgente（ヘンテ）、英語だとusとかfolksという意味だけど、そういう類のヘンテ－フィケーション（民衆化）。近所付き合いのある状態に戻すこと。ストリートをきれいにすること。みんなをケアすること」。gentry（上流階級）を「ラティーノのいうgente（ヘンテ）」に置き換える発想もまた、ラテンアメリカなるものを連れ立って北上したオレンジ回帰線のなせる業と言えよう。

ジェントリフィケーション（gentrification）を解体するヘンテ‐フィケーション（gente-fication）が、フリーウェイに現出した路上生活者（ホームレス）のエコロジカルなまちの基盤となっている。だが、このまちは永くは続かない。コルタサルの描く高速道路上の共同体は渋滞解消により消失したが、ヤマシタが幻視する路上生活者（ホームレス）のエコロジカルなまちは軍事介入によって壊される。そうした暴力もまたマンザナー・ムラカミの音楽的記憶に刻まれていくというかたちで、ヤマシタは都市のなかの自然（アーバンネイチャー）を『オレンジ回帰線』に明滅させるのである。

国境をまたぐ人やものの移動といったグローバルなスケールに、路上生活者（ホームレス）が体現するローカルなスケールを被せ、さらに都市の地下に錯綜する社会経済的・地質的レイヤーにまで想像力をのばす『オレンジ回帰線』は、都市という生活圏を足元から考えさせる。この小説を読んだ後では、都市化した地球の住人であるとはどういうことかを自問せずにはいられなくなるだろう。

危惧される〈経験の絶滅〉

都市化と工業化の影響は地球にくまなく及んでいる。地表だけでなく、大気にも(たとえばオゾンホール)、地中にも(たとえば地層に残された放射性物質の痕跡)、人間の活動の証跡が刻まれている。人間は地球で生を営む生物というだけでなく、地球システムに多大な変化をもたらす地質学的脅威となった。そのような新たな時代を、気温が安定し人類の文明が発達した完新世と区別して「人新世」とする提案がなされている。オゾンホールの研究で知られるパウル・クルッツェンと生物学者ユージン・ストーマーが二〇〇〇年に提唱して以来、人新世という概念は、自然科学だけでなく人文・社会科学にも波紋を投じ、自然・環境・地球との向き合い方について激しい議論が交わされている。

人新世的状況に関してエコクリティシズムでよく言及される作品のひとつに、アメリカの環境ライター、エマ・マリス(一九七九年–)の『「自然」という幻想』(二〇一一年)がある。「自然はほぼいたるところにある。しかし、どこにあるとしても必ず共通する特徴がある。「手つかずのものはない」ということだ」というマリスの見解は、人の影響が地球に限なく及んだ人新世的状況を踏まえたものだ。手つかずの自然を〈あるべき自然〉とみなし、開発以前の生態系の保護を絶対的目標としている限り、身のまわりの自然に意識が向くことはない。マリスは、手つかずの野生／人の手の入った自然、在来種／侵略種といった二項対立をほぐし、生活環境にある身近な自然を「新しい自然」と再定義した。街路樹や空き地は鳥や昆虫や小動物の棲処であり、人間社会とは異質な自然の理法に司られている。こうした「新しい自然」をマリスは、半分野生の「勝手に生い茂っている庭」(rambunctious garden、邦訳では「多自然ガーデン」)と名づけ、これからの自然保護は手つかずの自然に戻すことを試みるのではなく、野生化しつつある自然を人間の管理のもとで(その管理には放置という手段も含まれる)未来に向けて育てていくべきだ、という方向性を打ち出した。

手つかずの自然を理想とする先入見にメスを入れ、日常生活の背景でしかなかった自然を前景化したマリスの貢献は大きいが、身近な自然の重要性を主張すること自体は特に目新しいことではない。よく知られるところでは、一九九三年、鱗翅類研究者(つまり蝶の研究者)で作家のロバート・マイケル・パイル(一九四七年—)が「経験の絶滅」というエッセイでマリスと同じようなことを提唱している。

パイルはエッセイの冒頭で、コロラド州の都市オーロラでの少年時代についてこう語っている。教会の裏手に、宅地造成の影響で水が滲み出てぬかるんだ一画があった。ぬかるみを好むタデに覆われたその場所に蝶が飛来し、パイル少年は夢中になった。やがて、そのぬかるみが舗装されると、タデも蝶も姿を消してしまった。この一連の出来事により自然環境およびその保護を意識するようになったパイルは、身近な自然の重要性についてこう述べている。「多くの人は自分の目で見ることのないウィルダネスや野生動物に深い満足感を味わう。しかし、他の生きものに直に触れることは実に生き生きとした刺激をもたらし、いかなる追体験もその代用にはならない。生態系危機の最大の原因の一つは、多くの人が暮らしの場にある自然から離れてしまったことにあるのではないか」。

自然環境に関心を寄せるだけでは不十分で、直(じか)に自然を経験してはじめて自然の営みが腑に落ち、社会生物学者E・O・ウィルソンのいう「バイオフィリア(生命愛)」が育つとパイルは述べる。多くの人にとってそうした経験の場は、空き地や建物裏のぬかるみといった身のまわりの自然であるが、そこは常に開発の波にさらされている。身近な自然がなくなればバイオフィリアは育たず、そうするとさらに開発が進み生態系が破壊される。この悪循環を断つには、種の絶滅を心配するよりもまず「経験の絶滅」を食い止めることが必要だ、というのがパイルの主張である。パイルが提唱した「経験の絶滅」という概念は環境言説では比較的知られており、先に論じたウィリアムの『大地の時間』でも用いられている。

日本でも、身近な自然の重要性を語る書き手は少なくない。たとえば、池澤夏樹は『母なる自然のおっぱい』(一九九二年)で、もともと未知の不安と魅力をたたえた「自然の時間」に支配されていた世界が、それとは別の安全で予測可能な「人為の時間」によって変えられたことの問題について論じている。養老孟司と宮崎駿は対談『虫眼とアニ眼』(二〇〇二年)で、昔からいじめはあったが、それが深刻化したのは「人間ごとにしか関心が向かない狭い世界」にいるからだと指摘し、生活圏内の自然との接触を通して人間社会を外から眺める視点をもつことの重要性について語っている。

以上のように、生活のなかの自然はかねてより着目されているが、マリスの「新しい自然」論は徹底した未来志向という点で一線を画す。昔は虫や花と過ごし自然の時間に浸ることで人間社会を相対化することができたのに、という見解は、過去の理想化、美化、ノスタルジーにつながるとして忌避されることが少なくない。加えて、人新世に関しては、未曽有の気温上昇、過去に例のない大型ハリケーン、かつてない規模の山火事等々、前例がないということが特徴であり、過去に基準を置くことの是非が問われている。人新世をめぐる議論でマリスの見解が肯定的に受けとられているのは、過去へのまなざしをバッサリ斬り捨てているからであろう。

技術圏の自然

「われわれは自然を改変し続けてきた。いまそれを放棄して、偶然のなりゆきに任せるわけにはいかない。地球を管理するのは人類の義務なのだ」というマリスの主張は、たとえばツルの大群が羽を休める川の中洲が農業・工業用の大量取水により変化してしまったならば、重機でツルの休息場所を作ることが人間の責任だというふうに、生態系の復元に資する科学技術の積極的利用を視野に入れている。これは、人間、テクノロジー、地球環境が相互に作用しあう「技術圏(テクノスフィア)」の現実に対応した見方だと言える。

技術圏とは聞き慣れない言葉であるかもしれないが、電気、ガス、上下水道、物流といった生活インフラに支えられ、スマートフォンやパソコンが身体の一部であるような日常に明らかなように、わたしたちは紛れもなく「技術の生態系」(大黒)で生を営んでいる。この場合の「技術」がデカルトの時代に端を発する科学技術(テクノロジー)を意味し、古代ギリシャに由来する「技術(テクネー)」でないことは言うまでもない。大黒岳彦の説明によれば、デカルト的技術は、第一段階(デカルトが生きた前後の一七世紀から一八世紀前半)、第二段階(一八世紀後半から一九世紀初頭にかけての産業革命期)を経て、第三段階(一九世紀後半から二〇世紀初頭にかけての第二次産業革命期)において社会生活の成立に不可欠な土台となり、「日常生活における技術の使用は自明化し、更には次第に日常的意識の底に沈殿し、ついには透明化するに至った」。こうした「技術の全面化」が技術圏の根底にある。「技術圏」とは、「技術」「自然」そして「社会」のネットワークであり、名称のままに「技術」のみが突出した技術決定論的状況を指すのではない。「技術」と「自然」そして「社会」は、このネットワークにおいて不即不離の関係にあって、互いを区別しつつも制限のない結びつきをもつことによって、互いに互いを媒介しあい変容させる関係にある。

人新世における主体は人間でも資本主義社会でもなく、「技術圏内における人間、インフラ、消費形態、経済、エネルギー体制から成る具体的な〈集合体(アセンブリッジ)〉」(Horn and Bergthaller)であると指摘されるように、人間は技術圏の一部であって支配者ではない。現在、人間と環境との関係は技術圏という枠組みを抜きにしては考えられず、これには4章で論じる人工知能との共生も関わるが、さしあたりマリスの「新しい自然」論にみられるような自然観のアップデートが必要だということを押さえておこう。塵芥処理所を生活の場とする鉄三にとってハエがかけがえのない自然であるように、人の心を動かす他種を自然とよぶのならば、自然は技術圏の至るところにある。

自然の営みに接して感覚が活性化するような経験がなければ、自然環境がどうなろうと痛くも痒くもない。そうやって環境破壊は進んできた。環境の危機は想像力の危機であると「まえがき」で述べたが、そもそも想像力の危機は経験の衰退と相関関係にある。他種・多種との生き生きとした相互交流の経験は、文学によって表現を与えられて物語となり、その物語が腑に落ちたとき読者の経験となる。むろんそれは追体験だが、読者にとっての契機となって身近な自然に気づき、じっさいに自然に触れ始めるのならば、文学には経験を絶滅から守る力があると言える。そのような文学を発掘し、論じ、共有するエコクリティシズムの役割は決して小さくない。

3章
危機が叫ばれる時代に
──つくられた共生，生きられた共生

1 「自然との調和」を再考する

「自然との調和」はエコロジカルなのか

日本文化の特徴は？と聞かれて「自然との調和」と答える人は少なくないだろう。『万葉集』や『古今和歌集』で自然が詠まれ、着物や掛け軸に四季折々の自然が描かれる。自然を映す表現は、古典文学や伝統工芸に遍(あまね)くみられるだけでなく、活花(いけ)や時候の挨拶といったかたちで日常生活にも浸透している。春は桜、秋は松虫、という連想がごくふつうに感じられるのも、自然が文化に溶け込んでいる証拠である。日本文学研究者でエコクリティシズムにも造詣の深いハルオ・シラネは、日本の文学や文化に表現された自然を、物理的自然（一次的自然）と区別して「二次的自然」と名づけ、日本における自然との調和とは二次的自然への親しみを指すものであると論じている。「二次的自然」という言葉は通常、人が手を加えることで管理・維持されてきた自然環境を指すが、本章ではシラネの提唱した用語として、すなわち文学や文化を通して表現される自然を指す言葉として用いる。

自然との調和というときの自然が一次的自然か二次的自然かというちがいは、人と環境の関係を考える上で重要だ。シラネは、日本文化に遍在する二次的自然を仔細に分析した著書の最後で次のように述べている。

文化の季節化が広範囲に及び、二次的自然が遍く浸透していることがかえって、環境を守る必要があり、環境の保全が急務であるという意識を鈍らせたのかもしれない。戦後日本の環境保護に関する取り組みはあまりよい結果を出していない。〔……〕日本文化に二次的自然が広く行き渡っているために、日本人が一次的自然、つまり野生の自然にも親しんでいる、あるいは、調和しているという誤解を生んでしまってきたのかもしれない。

誤解のないように記しておくと、シラネは、二次的自然の文化的洗練を批判しているわけではない。そうではなく、二次的自然が日本社会に溶け込んでいるがゆえに、自分たちはすでに自然と調和しているという幻想が生まれやすく、それが環境問題への反応を鈍らせているのではないか、という見解を著書の最後に忍ばせているのである。同様の見解は、「文化と自然が調和した独特の共同体」であるという自国認識が環境的転回を遅らせているという主張（Miller, et al.)や、「人間と人間ならざるものが調和した関係」の美的表象と物理的環境の実態の矛盾に意識が及ばず、環境の悪化に対応できていないという指摘(Thornber)など、日本を対象としたアメリカの環境人文学に散見される。

自然との調和という共同幻想が物理的環境への目を曇らせているということだが、ここで気になるのは、自然との調和が当たり前のようにエコロジカルなものとみなされていることだ。アメリカではそうなのだろう。環境の時代の幕開けを告げたカーソン『沈黙の春』の冒頭、「アメリカの奥深く分けいったところに、ある町があった。生命あるものはみな、自然と調和して暮らしているようだった」という一文に象徴的に示されているように、アメリカでは「自然との調和」はエコロジカルな状態を指す。しかし、日本では必ずしもそうではない。たとえば岡倉覚三『茶の本』(英語原文一九〇六年)にみられるように、自然との調和は環境問題がとりざたされる前から日本文化の特徴として語られてきた。

日本文化にみる自然との調和は、いつ頃からエコロジカルな意味でとらえられ始めたのだろうか。一九八五年の論文で哲学・美学研究者ユリコ・サイトウが、環境問題に意識的な研究者のあいだで、日本における「人間と自然の調和」が西洋的な「人間と自然の対立」よりも倫理的に好ましいとされていると記していることから、日本文化=自然との調和=エコロジカルという認識は、遅くとも一九八〇年代半ばには、サイトウの研究拠点であるアメリカで定着していたと考えられる。サイトウは、自然との調和という日本的流儀が環境主義の俎上に載せられていることに違和感を仄めかしているが、そこから次のことが導き出せるだろう。すなわち、日本文化にみる自然との調和は、アメリカで新たにエコロジカルな装いをほどこされた、ということである。

環境用語としての「自然との調和」は、もともと日本に存在していた概念ではなく、ある時期日本に輸入され、自然と調和した日本文化という自己像にエコロジカルな意味合いが被さって流通したものと考えられる。つまり、日本文化がエコロジカルなのではなく、「自然との調和」をエコロジカルとみる海外の視点を取り込んだことにより、日本文化＝自然との調和＝エコロジカルという認識がつくられたのである。そうだとすれば、前述した研究者たちが指摘する、自然との調和という共同幻想が環境問題への意識を鈍らせているという事態には、「自然との調和」をめぐる海を超えたやりとり、思い込み、すれ違いが関わっていることになる。その一端が生物多様性国家戦略をめぐる動きに見てとれる。

生物多様性国家戦略にみる〈共生〉のレトリック

生物多様性は、「様々な生態系が存在すること並びに生物の種間及び種内に様々な差異が存在すること」(「生物多様性基本法」)と定義されるが、生物学者の池田清彦によれば、「生物学的な多様性」という専門用語の〝バイオロジカル〟(生物学的)から〝ロジカル〟(論理的)をとってつくられた「生物多様性」という用語は、厳密に定義できない曖昧さを特徴とし、それゆえ広く普及した。造語後まもなく国連環境計画が準備した生物多様性条約は、一九九二年の地球サミット(リオデジャネイロ)で調印され、翌年発効した。締約国は一九四ヶ国および欧州連合とパレスチナである(二〇一八年一二月現在)。条約の規定にもとづき、日本は一九九五年に生物多様性国家戦略(第一次戦略)を策定し、二〇〇二年(第二次戦略)、二〇〇七年(第三次戦略)、二〇一〇年(第四次戦略)、二〇一二年(第五次戦略)、二〇二三年(第六次戦略)と見直しをおこなってきた。それぞれの段階で内容を整理したパンフレットが発行され、二〇二三年三月現在までに発行されたもののうち、第一次戦略と第二次戦略は日本語版のみ(第一次戦略は英語要旨付)、第三次戦略以降は日本語版と英語版がある(第六次戦略のパンフレットは未発行)。表紙には、日本文化と自然の親和性を演出するかのように、浮世絵や型紙といった日本の伝統工芸をあしらったものが多い。

生物多様性国家戦略を取り上げるのは「自然との調和」がエコロジカルな意味で用いられた過程を検証するためなので、内容には立ち入らず、パンフレットで用いられている言葉を比較検討することとしたい。

言葉にみる英語圏の影響を検証するために、英語版のない第二次戦略を除く四つのパンフレットにおける言葉の変遷をみることにしよう。表に、各パンフレットで用いられている言葉を整理した。

まず、タイトルでは、第一次戦略と第五次戦略に「共生」が用いられているが、それを訳した英語は coexist(ence) から harmony with nature に変化している。本文をみると、第三次戦略以降、「共生」に harmony が充てられている。

また、内容がほぼ同じで同一の日本語版タイトルをもつ第三次戦略と第四次戦略のパンフレットが、英語版ではタイトルが異なるというのも興味深い。第四次戦略が二〇〇八年に施行された「生物多様性基本法」にもとづく最初の国家戦略であることから、生物多様性(biodiversity)という言葉を強調する意図があったと推測できる。しかし、そうだとすれば、なぜそれが英語版タイトルにだけ反映されているのか。考えられる理由として、国外の目を意識した変更だったということがある。国際社会に対するアピールが英語の言葉遣いに表れているのではな

言葉の変遷

共生に関連する日本語と英語
共生する　coexist
自然共生社会　society in harmony with nature 人と自然の共生　harmony between human being and nature 自然との共生モデル　model for harmonious coexistence with nature
自然共生　harmony with nature

いか、ということだ。これは、日本語の「共生」にあたる英語がcoexistenceからharmony with natureに変化したことを説明する上でも妥当な解釈だと思われる。

以上を整理すると、次の二点に要約できる。(1)第三次戦略が策定された二〇〇七年頃から、「自然との調和（harmony with nature）」が「共生」と同義で使われるようになり、(2)第四次戦略が策定された二〇一〇年頃から、国際的動向を意識した言葉の選択がうかがえる。(1)に関しては、細かいことをいえば「共生」と互換的に用いられているのはharmony with natureという英語表現であって、「自然との調和」という日本語ではないが、この程度の英語であれば難なく日本語に変換できるだろうから、「自然との調和」は「共生」とほぼ同義の環境用語になったと言って問題ないだろう。

生物多様性国家戦略のパンフレットを見る限り、国際社会を意識した言葉の選択は、生物多様性条約第一〇回締約国会議

生物多様性国家戦略パンフレットにおける

戦略	発行年	日本語タイトル	英語タイトル
第一次	1995	すべての生きものが共生できる地球環境をめざして	*Towards the Global Environment Where All Living Organisms Co-exist*
第三次	2007	いのちは支えあう	*Our Lives in the Web of Life*
第四次	2010		*Biodiversity is Life Biodiversity is our Life*
第五次	2012	豊かな自然共生社会の実現に向けて	*Living in harmony with nature*

(CBD COP10 以下COP10)の開催(二〇一〇年、愛知県)に向けた過程で顕在化したと考えられる。第三次戦略パンフレットで日本がCOP10の開催国になることが示され、第四次戦略パンフレットでは議長国としてリーダーシップを発揮すると明言されている。第四次戦略の英語版パンフレットで「生物多様性(biodiversity)」が強調されているのは、COP10議長国としての存在をアピールすることが狙いだったと考えても間違いではないだろう。

COP10のスローガンは「いのちの共生を、未来へ(Life in harmony, into the future)」であり、ここでも共生と(自然との)調和が同義で用いられている。COP10のスローガンは、二〇〇九年に開催された国連総会で「現代の世代と未来の世代の経済的、社会的、環境的ニーズの公正なバランス」の実現に向けて掲げられた目標である「自然との調和(Harmony with Nature)」と近似しており、その後の第五次戦略でもこのフレーズが英語版を飾っているが、こうした事象も日本の国際社会に対する意識という補助線を引けば説明がつく。harmony with nature に対応する日本語が「自然との調和」だったり「共生」だったりするためわかりづらいが、COP10開催を意識した頃から「自然との調和（harmony with nature）」が環境用語として日本に流通したと考えられる。

他にも要因はあるかもしれないが、少なくともここまでの考察からわかるのは、自然との調和をエコロジカルとみる国際社会の見方を取り込んだことで、〈自然と調和したエコロジカルな日本〉という自文化像がつくられたということだ。日本文化の特徴を指しもすれば環境用語でもある「自然との調和」は、その曖昧さゆえに便利な言葉であり、政府や企業をはじめ広く使われている。しかし、数々の資料をみても、自然と調和したエコロジカルな日本がどのような実態を指すのかははっきりしない。実態があるのかどうかさえわからない。逆にいえば、実態がないからイメージとして流通しやすいのだろう。

プラスチック・ワードのなめらかさ

生物多様性国家戦略のパンフレットは日本語版も英語版もほぼ同内容だが、第三次および第四次戦略のパンフレットには、英語版だけに立てられた項目がある。“The Satoyama”だ。

山間(やまあい)にとけ込んでいるかのような茅葺き屋根の家屋と田んぼの写真が見開きの大半を占め、その周りに小さな文字で、日本の「伝統的な田舎のランドスケープ」が生物多様性に富む「自然との共生の理想的なモデル」であること、生活様式の変化により過疎化が進み里山が荒廃していることが記されている。

なぜこれが英語版パンフレットだけにあるのか。おそらく、COP10で「SATOYAMAイニシアティブ」――里山で伝統的に実践されてきたような、生物多様性を損なわないかたちで自然資源の持続可能な利用を促進する取組み――が承認されるために、国際社会に向けて里山をアピールする意図があったのではないか。じっさい、両パンフレットにはCOP10を意識した記述がみられる。しかし、それは"The Satoyama"という項目を日本語版に載せない理由にはならない。そこで思うのは、もし日本語版に里山の写真と説明があったとしたら、どのような反応を生んだだろうか、ということだ。おそらく一部では、里山を「自然との共生の理想的なモデル」とすることは現実味に欠けるとか、経済成長の陰で衰弱の一途にある里山を美的に搾取しているとか、日本の原風景というイメージで里山の実態を隠蔽している、といった批判の声が上がるのではないだろうか。

前述したように、自然と調和したエコロジカルな日本はイメージとして流通している一方で、それがどのような実態を指すのかは判然としない。そもそも「共生」がどのような実態を指すのかすらわからない。極端に言えば、「自然との調和」も「共生」も、耳触りはよいが中身は空っぽの「プラスチック・ワード」(ウヴェ・ペルクゼン)として浸透しているのではないか。科学的な装いを凝らしてはいるが、内容は空虚であり、だからこそ具体的なコンテクストに縛られずに〈いかようにも形を変えて〉日常言語に浸透し、知らずしらずのうちに私たちの現実感覚を仕立て直している言葉を、ペルクゼンは「プラスチック・ワード」と名づけた。実態はないけれどもなんとなくわかった気にさせる「共生」という言葉は、エコロジカルな「自然との調和」と同じく、政府や企業の刊行物やウェブサイト、一般に流通している書籍や雑誌など、至るところで用いられている。

一例として、環境省自然環境局のパンフレット『人と自然の共生をめざして』(二〇〇九年)をみてみよう。冒頭でこう記されている。

日本は、国土面積はそれほど大きくありませんが〔……〕多様な自然環境を有しています。この豊かな自然環境を確実に保全し、自然と人との間の豊かな交流を保つことによって「人と自然との共生」を確保することがますます重要になってきています。われわれの世代だけでなく、将来の世代においてもこの豊かで多様な自然環境を享受できるようにしていかねばなりません。

ここでは、共生が可能になるには「豊かな自然環境」の保全と「自然と人との間の豊かな交流」の維持が必要であると述べられているが、それらがどのようなものかは何ら説明がなく、したがって共生がどのような実態を指すのかは不明である。

ちなみに、引用した二〇〇九年版とその後の二〇一五年新・改訂版『自然との共生を目指して』は、ほぼ同一の日本語タイトルに対して、英語版タイトルは For Coexistence of People and Nature から Towards Living in Harmony with the Natural Environment へと変化しており、COP10を境に「自然との調和」が共生と同義の環境用語として使われ始めたという、生物多様性国家戦略の表現の分析で得た結果と符合する。

連なるいのち、あるいは、生きものを殺して食べる罪の自覚

日常的に耳目に触れる「共生」や「自然との調和」という言葉は、腑に落ちることなく素通りする。しかし、だからといって共生の実態がないということにはならない。共生とはどうい

うことなのか。それを考える手がかりとして、水俣病事件に独自の視点から向き合う漁師、緒方正人(一九五三年―)の語りを収めた『チッソは私であった』を取り上げたい。緒方の語る言葉には「共生」も「自然との調和」も出てこないが、海での日常をめぐる語りを読み進めるうちに、これが共生ということかと感覚が動き始める。

例として、緒方の思考が織り込まれた以下の一節を引用する。

私どもは漁師ですので、一日に沢山の魚(いを)を殺して、人一倍その魚(いを)を食って焼酎も人一倍飲んでおるわけですが。そこにはやはりその罪の意識というか、罪の自覚が日常的にあります。〔……〕私は女房と二人で船の上で仕事をするものですから、女房だけでなくて、私も含めて漁師は魚(いを)ば取れんなら取れんで、シケが続けばシケばっかりで漁に出られんと言うし、大漁すれば喜ぶわけですけれども、取れない日が続けばそれはそれで小言というか愚痴が出るわけです。時々仕事をしながら思うんですが、取れなければ取れないで、その時には「たまには取られる魚(いを)の気持ちになってみろ」ということではないのかなと、そういうことが語りかけられとるんじゃないかなと思うわけです。〔……〕時々魚(いを)と目が合う時があるんです。魚(いを)だければこそ、日本語も喋らずに、「痛か、痒か、寒か」とも言わずにおるわけです。〔……〕言葉を喋らんけれどもそこに何かメッセージがやっぱりある。訴えかけているものがある。立場を入れ替えて考えてみるという重要さを、私も年を重ねるごとに少しずつ感じてきました。

それは先程言いましたように、魚(いを)を殺して、あるいは他の生き物を殺して、生きて来たということです。〔……〕殺して、食ってという罪の自覚というものが蓄積されて、体験化されていくんではないかと思うわけです。

魚をとって生計を立てている緒方にとって魚は商い物にちがいないが、その一方で、魚と「立場を入れ替えて」魚の気持ちになって考えてみたり、魚を殺して食べて生きているという罪の自覚をもったりする緒方は、商品に収まりきらない魚のいのちに触れている。繰り返し言及される「罪の自覚」は、魚のいのちを奪ってしまった、悪いことをしてしまった、という罪の意識ではなく、魚のいのちによって生かされている、あるいはそうでなければ生きることのできない、罪深い存在としての自己認識ととらえるべきであろう。緒方の「罪の自覚」は、生きていることの哀憐と生きものへの情愛を伴っているのだ。こうした感覚は、自分と魚が同じひとつの世界に生きているという魚との横並びの関係にもとづいている。

緒方のいう罪の自覚は、自然からの贈与に対する謙虚さのあらわれでもある。中沢新一『純粋な自然の贈与』によれば、「贈与は結びあわせるエロスの力によって、宇宙にみちる「霊」に流動を発生させ、それをますます増殖させ」る。他方、「売買は分離の力、すなわちロゴスの力をはらんでいる」。いのちのつながりをめぐる肯定と哀憐が綯い交ぜになった緒方の感覚は、エロスの力をとらえたものにほかならない。

父親を水俣病で亡くし自らも水俣病に罹った緒方は、水俣病の原因企業であるチッソに対する闘争に関わるなかで、自らもまた、近代的で便利な生活をもたらした「チッソ化した社会」の一員である——「チッソは私であった」——と自覚するに至り、被害者／加害者という二項対立的発想の限界を認識した。分断と闘争のロジックは、汚染された魚や海を埋め立て水俣病患者の人間性を剝奪する、いのちの「制度的・機械的埋め立て」であるという認識に立ち、緒方は「命の連なる世界にいっしょに生きていこうという呼びかけ」を続けている。「命の連なり」もまた耳触りのよい言葉であるけれども、魚を捕って殺して食べて生かされているというエロスの力を自覚した上で語られるいのちの連なりは、立場や信条のちがいを超えて読み手の感覚を動かす質量をもつ。

生きものを殺し、そのいのちによって生かされているという感覚から離れてしまった多くの現代人にとって、自然の贈与を実感することは容易ではない。けれども、それを想像することはできる。現代日本におけるその道標が、緒方と同じく水俣病事件を光源としていのちの連なりを凝視しつづけた石牟礼道子(一九二七―二〇一八年)の作品だ。

2　切れないいのち――石牟礼道子『苦海浄土』

「水俣病わかめといえど春の味覚」の過剰さ

ひかり凪という美しい響きをもつ海のほとりに、大きな化学工場が建った。工場正門前に駅ができ、町は繁栄した。このチッソ水俣工場は、天皇も訪れたほど日本の近代化を象徴するものだった。製造されていたのは、塩化ビニールやプラスチックの材料となるオクタノールを造るための原料アセトアルデヒドで、製造過程で出る廃液にはメチル水銀化合物が混ざっていた。水銀入りの廃液は無処理で海に流された。当然、水銀は、魚や貝や海藻、そしてそれを食べたカラスや猫や人間に蓄積されていった。海辺では、魚網をネズミにかじられないよう飼われていた猫たちが、狂い踊った末に死んでいった。ほどなく人間にも同じ症状があらわれた。二〇世紀半ばに発生した水俣病である。

有害物質で汚染されたものは危険だから食べてはいけない。これは現代の常識である。しかし、石牟礼道子の『苦海浄土――わが水俣病』(一九六九年)に描かれる海辺の人びとはちがった。かれらは、海の異変に気づいても、そして町の人たちが地元の魚介類を避けるようになっても、それまでと変わらず海に出て、自分でとった海の幸を食べた。海がおかしい、魚が変だ、とわかっていても、それまでと変わらず、海辺で、海とともに生活していた。

『苦海浄土』に、「水俣病わかめといえど春の味覚」という、戸惑いを禁じ得ない一文がある。水銀で汚染されているとわかっているわかめを春の味覚として食べる。これは、汚染されているものは危険だから食べてはいけないという現代の常識に照らせば、ほとんど自殺行為であり、不気味ですらある。私たちが汚染されたものを避けるのは、いのちを守るためにほかならない。では、石牟礼の描く海辺の人びとはいのちをないがしろにしていたのか。水銀で汚染されているとわかっているわかめを「春の味覚」として食べるとは、一体どういうことなのか。

水俣病多発地域は漁師集落に集中していた。工場から給料をもらう町の住人は、地物(じもの)を避けて安全なものを買ったが、漁民は「奇病」が広がっても、それまでと変わらず目の前の海で魚をとって食べた。かれらは現金収入がなかったから、海に出ればただで手に入る魚を食べ続けたのだろうか。水俣病と貧困を関連づける研究者はいるし、ある面で貧困説は事実を示している。それは、水俣病が多発する漁師集落に通いつづけた医師、原田正純も認めている。しかし、原田はこうも言っている——「豊富な海の幸に馴れた人たちは、危ないと知りつつ、つい手が出た。魚が有毒とは本当には信じられないのである」。

『苦海浄土』には、海辺の人びとが「天のくれらす」魚を「ただで、わが要ると思うしことって」日々を暮らしていた様子が描かれている。漁民たちの食べ続けた魚が、貧困説でいうただの魚ではなく、「天のくれらす」魚、すなわち自然からの贈り物だという見方をしているのである。金銭の絡むロゴス的視点からは貧困のどん底にあるとしか見えない人びとが、自然との贈与関係にあるエロス的世界に生きていることを、『苦海浄土』は表現しているのだ。

「水俣病わかめといえど春の味覚」という理屈を支えるエロスの力は、ロゴスに馴致された思考をはみ出る過剰にほかならない。石牟礼が水銀汚染によっても切れないいのちのつながりを声高に論じるのではなく、「水俣病わかめといえど春の味覚」といった非ロゴス的な言語空間に表すのは、そのような方法によってのみ、いのちのつながりを表現しうるからである。

いのちのつながりは主張しない。それは感じ取られるものなのだ。

海とともにある人

『苦海浄土』に登場する漁民は、海を「わが庭」とよぶ。これを漁民の海に対する所有感覚のあらわれと解釈する研究者もいるが、曲解もいいところで、たとえば次の一節を読めば、「わが庭」が海への信頼と情愛を反映した表現であることは明らかだ。

> 不知火海を漁師たちは〝わが庭〟と呼ぶ。だからここに、天草の石工の村に生まれて天草を出て、腕ききの石工になったものの、〝庭〟のへりに家を建て、家の縁側から釣り糸を垂れて、朝夕のだれやみ用の肴を採ることを一生の念願として、念願かなって明神ガ鼻の〝庭〟のへりに家を建て、朝夕縁先から釣り糸垂らしていて、初期発病患者となって死亡した男がいても、庭に有機水銀があるかぎり不思議ではなかった。

このような人と海の結びつきは、海を「わが庭」とよぶ人びとの生活の描写にじつに目立たないかたちで織り込まれている。なぜ目立たないのかといえば、石牟礼の描く海辺の人びとにとって海との結びつきは、とりたてて主張するものではなく、日々の生活において生きられているものであるからだ。

漁師の江津野老人一家の描写をみてみよう。

江津野杢太郎少年（9歳―昭和30年11月生）の家（水俣市八ノ窪）の〈床の間〉ともいうべき壁が改装されているのを、わたくしはしげしげと見上げていた。

床の間というものが、その家のほぼいちばん奥のつきあたりに、しつらえられてあるものであるとしたら、まさしく土間から、四畳の畳の一畳ごとに段落のついた窪みを、ひとまたぎした突き当たりの目前の江津野家の壁は、床の間というものであるに相違なく、いやそのような思案をめぐらすまでもなく、一目でこの家の土間に立てば、そこが床の間であり神殿であり須弥壇（しゅみだん）であることは見てとれることである。

〔……〕

入口のほかに窓というものをつけないでいるこの家内全体が、この日ひとしお韻々（いんいん）たるわだつみのいろこの宮——それはもちろん青木繁流のロマネスクなどではさらさらなく——のごとき景観を呈していたのは、さきごろまで舟虫の食った破れ舟の舟板が、重々しくこの家の神棚の後ろの壁にうちつけられていたのが、ひときわ青み渡った波形のエスロン板にとり替えられているからであった。

土間と一部屋からなる家に、老夫婦、息子、孫三人の計六人と猫が暮らしている。息子は水俣病に罹り、孫の杢太郎は胎児性水俣病で寝たきりである。桑原史成『水俣事件』などの写真集を開くと、水俣病患者の家の多くは壁が剝げ畳の浮きが目立つが、江津野家もそれに類するのだろう。この家の最も神聖な奥の一角は青いエスロン波板が壁代わりになっている。エスロン波板は、現在でもカーポートやベランダの屋根に使われている半透明の塩化ビニール板である。

一家の壁にはもともと古い木造船の舟板が打ち付けてあったが、それが腐ってしまったためエスロン波板に取り替えられた。緒方の著書に木造船がＦＲＰ(強化プラスチック)の船に取って代わられたことが記されているが、木造船の消滅により舟板壁を新調することがままならなかったのかもしれない。壁を修繕する金銭的余裕もないため、安いエスロン波板を使ったのだろう。とはいえ、貧困家庭と決めつけてしまうことにためらいを感じさせるものが、石牟礼の描写にはある。先の引用は次のように続く。

神棚にそったうしろ一坪ばかりの壁自体はとりもなおさず、八畳ほどのこの家全体の明りとりともなっていた。当世流のこのエスロン波板の壁といえども、山腹にたぐり揚げられた朽ち舟が苔むして、おのずから竜骨を保護するおもむきを有しているこの江津野家の縷々たる年月に早くも溶けあい、ゆらめくような波形の青い光を放ち、その海底のもののような光線は、入口土間に置かれた古い大きな水甕や、庭先にころがりこわれたままになっているボラ籠や、そのようなボラ籠のある庭先にかげりはじめている日ざしとまじわりあい、まだ電灯をつけない家の中に――この家のたったひとつの裸電球は、いつも家族たちの食堂の上に垂れているのだった――不思議な明るさをもたらしていた。

驚くべきことに、とあえて言うが、江津野家の生活空間の描写には貧しさを意味する言葉が一切使われていない。「当世流のこのエスロン波板の壁」は、修繕費用がないから安い塩化ビニール板で済ますしかない貧困ぶりを象徴しているようにみえるが、書かれていることを素直に読むと、青い半透明の塩化ビニール板は、それを通して入る明かりが仄暗い屋内で波のように揺らめいて、海の中であるかのような生活空間を現出させているのである。家が、そこに住む人の生活を表しているとすれば、「海底のもののような光線」がゆらめくこの家は、一家の生活が海とともにあることを物語っている。

ビオスに還元されないいのち

舟板壁だったとき、家の中はさぞかし暗かったことだろう。なにしろ窓がないのだ。家の壁が何であろうと、一家の暮らしは海と不可分だったのだろうが、その暮らしが半透明の青いエスロン波板によってはじめて可視化されたということについては考えてみる必要がある。

エスロン波板は、チッソ水俣工場などの化学工場で製造されたものである。そのことに思い至るとき、かつて舟板に護られていた神聖な一角を化学工場の製品が占めたということに、近代の侵入——それが水俣病を引き起こした——を読み取りたくなるが、先の引用はそのような解釈では腑に落ちない。近代のメタファーとしてのエスロン波板は、侵入するどころか、一家の生活史と溶けあっているのである。水俣病患者を抱える家族の生活史が、水俣病を引き起こした化学工場と溶けあっているとは、一体どういうことなのか。患者とチッソ、被害者と加害者が敵対しこそすれけっして溶けあうことのない現代の常識がはね返される。

石牟礼はこの家の老人にこう語らせている——「妙なこころもちじゃあるが、会社にゃ煩悩の深かわけでござす」。「煩悩」は、「わが食う魚にも海のものには煩悩のわく」というふうに、『苦海浄土』に登場する水俣病患者の口からたびたび発せられる言葉だ。通常この言葉は、心身を悩ませる妄念という否定的な意味をもつが、水俣の海辺の集落では、「否定していうのではなく、当然あるものとして把握していう言い方」があり、「情愛の濃さを一方的に注いでいる状態、全身的に包んでいて、相手に負担をかけさせない慈愛のようなもの、それを注いでいる方の心の核になっていて、その人自身を生かしているもの」を指す、と石牟礼は「名残りの世」で説明している。緒方のいう「罪深い存在であることの自覚」と相通ずる感覚だと言えるだろう。

「会社にゃ煩悩の深かわけでござす」という江津野老人の言葉は、チッソを「同じ土壌に棲みついた共同体の新しい成員、というふうに迎え入れ続けてきた水俣病患者」の「共同体意識」のあらわれであり、それがチッソに対する不信感が深まってもなお熾火(おきび)のように持続していたことを物語っている。チッソだけでなく、水俣病さえもその発生時、患者たちは「日々の暮らしの中にふとまぎれこんできた珍事を迎えるように〔……〕受け入れようとしていた」。異質なものを「迎え入れ」「受け入れ」る水俣病患者の「共同体意識」は、“us”(われわれ)と“them”(かれら)を截然と分け隔てる分断的で閉鎖的なものではなく、同じひとつの世界に生き、生かされている“us＋them”という位相にある。これは、バージャーが農夫にみた〈and の思考〉を連想させもする。こうした共同体意識は人間ならざるものにも向けられており、だからこそ、切っても切れないいのちが生きられているのだ。緒方のいう「命の連なり」とそこにおいて生かされているという「罪深さの自覚」は、『苦海浄土』の水俣病患者の共同体意識を貫いている。そうしたいのちの連なりを図らずも可視化した「青いエスロン波板」は、汚染し分断する近代の象徴である一方で、近代によっても分断されないいのちを浮き彫りにしたのである。

水銀で海が汚染され、町の人びとは海に背を向けて別の安全な食べものを買い求めたが、海辺の人びとは目の前の海で魚をとって食べた。それが、貧しくて仕方がなかったからというよりも、かれらと海との関係が水銀汚染によって断ち切られる程度のものではなかったからだということを、『苦海浄土』は表現している。そのような切れないいのちは、身の安全のために汚染されたものを断ち切る現代のリスク論から完全にはみ出している。海辺の人びとの生命観は、魚や孫だけでなく、チッソに象徴される近代にも「煩悩」をかける江津野老人に仮託されているように、現代の生命観に収まりきらない広さと深さをもつ。要するに、過剰なのであり、ソロー流に言えば「度を－越している」のである。

汚染されたものを食べないことも、海に出て「天のくれらす魚」をとって食べることも、どちらも〈いのち〉優先の考え方だ。前者は、汚染回避によっていのちを守ろうとし、後者は、汚染の事実によっても断ち切られることのないいのちを際立たせている。どちらもいのち第一である。しかし、両者が意味する〈いのち〉は同じではない。

古代ギリシャには〈いのち〉の概念が複数あり、個々の有限ないのちを「ビオス」、個体化・身体化される前の生あるもの一切に共通する生きているという事実を「ゾーエー」という言葉で使い分けていたという。この分類にならえば、汚染を回避することで守られる個々のいのちは「ビオス」を指す。近代の特徴をゾーエーのビオス化に見てとるジョルジョ・アガンベンの見解を参照すれば、現代の生命観はビオスの内部で完結しており、ビオスを見出せないいのちへの対処法をもたない。一方、『苦海浄土』に描かれる海辺の人びとは、ビオスに還元されえないいのちとつながっている。このようなゾーエーとは、水俣に住まうものとして人も魚も「世界の内に水の中に水があるように存在している」(バタイユ)様態と言ってもよいだろう。

誰でも個々のいのちは大切だ。だから汚染されたものや場所を避けようとする。それはごく当たり前の行為であり、そのことに石牟礼は何ら異議を唱えていない。『苦海浄土』で石牟礼は、水俣病を告発するでも近代を糾弾するでもなく、分節化と制度化をデフォルトとする近代的思考がビオスに還元されないいのちに触れることを促しているのである。

石牟礼はイヴァン・イリイチとの対談で次のように述べている。

私ども人間にとって残されたいちばん最後の自然、これ以上破壊することのできない自然は、もう一度イメージし直さなければならない人間そのものであって、そこに戻りたい。しかしそこに戻るには、近代というこの途方もない化物を心やさしい物語り世界に編み替えて魂を吹きこまねばなりません。

「人間そのもの」のあり方を、石牟礼は、水俣の海辺の人びとに見てとっていた。『苦海浄土』は、水俣病患者とその家族に仮託して、近代という没人格的システムに魂を吹き込んだ物語なのである。

絡まりあいの多声性

『苦海浄土』は、水俣病患者らの話す方言のほか、新聞などマスメディアの言説、医学報告書の抜粋、行政やチッソ関係者の発言など、多様な言葉から成り、切子細工のように水俣病問題の多面性を刻んでいる。それは、ロゴスとエロスの抗争と交渉を照らし、ロゴスに馴致された思考を眠りから覚醒させる文学的仕掛けでもある。

七章構成の作品中、最も早く書かれた第三章「ゆき女きき書」は、一九六〇年に北九州の炭坑町を拠点とする雑誌『サークル村』に掲載された「水俣湾漁民のルポルタージュ　奇病」という文章をもとにしている。石牟礼が初めて「一市民として見舞った」水俣病患者、川上タマノへの聞き書きというかたちで綴られた「奇病」は、その後修正を経て、坂上ゆきの語りとして『苦海浄土』に組み込まれた。『苦海浄土』文庫版の解説で渡辺京二が明らかにしているように、この作品は通常考えられているような聞き書きではないし、石牟礼自身が『サークル村』創刊に中心的に関わった上野英信との対談で、『苦海浄土』は「フィクションとしての聞き書き」であると述べている。渡辺が証言するように、石牟礼には水俣病患者と同質の共同体意識をもっているという自覚がある。だからこそ石牟礼は、患者を代弁するというよりも、「ひとりの〈黒子〉になって」患者に語らせる、あるいは「変身した筆者の口を借りてモデルが語ったり交互変身をやる」という方法を選んだ。水俣病患者の現実をよりリアルに再現するために、石牟礼は「フィクションとしての聞き書き」という技法を編み出したのである。

『苦海浄土』に登場する水俣病患者の話す方言も、ある意味でフィクションだ。元来話し言葉である方言は、活字にするとよそよそしく感じられるものだが、『苦海浄土』では方言らしさを失っていない。それは、石牟礼が方言を読めるかたちに加工しているからで、じっさいそれは水俣弁ではなく「道子弁」だと言われている。そこまでして方言にこだわるのは、水俣病患者の現実がかれらの話す言葉でしか語りえないからにほかならない。

その方言で坂上ゆきが語るのは、水俣病発症前の海での昔日である。「手、口唇、口囲の痺れ感、震顫、言語障碍、言語は著明な断綴性蹉跌性を示す」という水俣病特有の症状を呈する坂上ゆきは、途切れもつれる話し方にならざるをえないはずなのだが、石牟礼の口を借りて次のように滔々と語る。

舟の上はほんによかった。

イカ奴は素っ気のうて、揚げるとすぐにぷうぷう墨ふきかけよるばってん、あのタコは、タコ奴はほんにもぞかとばい。

壺ば揚ぐるでしょうが。足ばちゃんと壺の底に踏んばって上目使うて、いつまでも出てこん。こら、おまや舟にあがったら出ておるもんじゃ、早う出てけえ。出てこんかい、ちゆうてもなかなか出てこん。壺の底をかんかん叩いても駄々こねて。仕方なしに手網の柄で尻をかかえてやると、出たが最後、その逃げ足の早さ早さ。ようも八本足のもつれもせずに良う交して、つうつう走りよる。こっちも舟がひっくり返るくらいに追っかけて、やっと籠におさめてまた舟をやりおる。また籠を出てきよって籠の屋根にかしこまって坐っとる。こら、おまやもううち家の舟にあがってからはうち家の者じゃけん、ちゃあんと入っとれちゅうと、よそむくような目つきして、すねてあまえるとじゃけん。

わが食う魚にも海のものには煩悩のわく。あのころはほんによかった。


ゆきの語るタコは、とても漁の対象にはみえない。ゆきはタコとのやりとりを楽しみ、タコに楽しませてもらっている。前述した対談で上野は、石牟礼の作品では「漁師のみなさんは楽しんでいるわけではないのですね。タコとか何かから逆に楽しませてもらったんですね」と述べ、現代は自然を楽しむという発想しかないが、自然に楽しませてもらったという感覚はじつに重要で、環境問題に関しても「これほどまで楽しませてもらった土地を、自分の楽しみのために売ってはならない」、破壊してはならない、という発想が必要だと主張している。これは、気前よく与えてくれる相手にお返しをするという互恵性を指しており、石牟礼の描く海辺の人びとはそうした互恵性を海とのあいだで築いていたのである。

タコが壺から出たがらず駄々をこね、つかまえて籠に入れても籠から出て「かしこまって坐っと」り、「すねてあまえる」と語るゆきの言葉を読んでいると、いまにもタコの声が聞こえてきそうだ。漁婦とタコは、「絡まりあい」――「主体がいつの間にか客体となり、ふたたび主体になる……という恒久的な生成過程」(奥野)――を体現している。ゆきとタコが確たる存在としてあるのではなく、絡まりあうなかでゆきとタコが定義される。そうした絡まりあいが、タコの声(それは身振りとしてあらわれている)を伴うゆきの多声的な言葉に表出していると言えるだろう。

「舟の上はほんによかった」と繰り返し語る坂上ゆきにとって海は、先にみた江津野老人と同じく、わが庭であり、家郷(ホーム)である。水俣病特別病棟でも海のことばかり想っていたゆきに、看護師が紙で伝馬舟をたくさん作ってくれて――

うちゃその舟ば曳いて、大学病院の廊下ば、
えっしーんよい
えっしーんよい
ちゅうて網のかけ声ば唄うて曳いてされきよったとばい。
自分の魂ばのせて。

水銀で汚染された挙句に海は埋め立てられたが、「魂」という言葉に込められた絡まりあういのちのリアリティは、石牟礼の筆で再現された漁婦の言葉に保存されている。

水俣という場所、マルチスピーシーズの里山・里海

先の引用の最後にもあるように、石牟礼は「魂」という言葉を多用する。それは緒方も同じで、「人間の中で値段が付けられていないのは、おそらく屁とか魂しか残っとらんのじゃないか」と諧謔(かいぎゃく)を交えながら、魂とは「社会制度や補償といったものの中では救われない、そうしたものの中に納まりきれない何か」であると述べている。制度化された生命の外部にある魂は、制度化する近代的思考には響かず、それゆえ水俣病患者のいう魂は後進的で前近代的なものとみなされてきた。

そのような近代的思考が見直しを迫られている。近代は、過去よりも現在、現在よりも未来に重きをおく進歩主義を特徴とし、産業化、機械化、専門分化を推し進め、経済的価値を絶対化した。そうした進歩の文化の綻びが、環境破壊や気候変動というかたちで顕在化した。近年、世界を制作しているのは人間という「単一の生物種」ではなく、人間以外の「複数の生物種」すなわち多種の相互作用であるとするマルチスピーシーズの視点が注目されている。人も海山

のものも同じ水俣という場所に住まうものととらえる石牟礼や緒方の見方と親和性のある視点だ。前述した坂上ゆきとタコの絡まりあいは、マルチスピーシーズ共同体と言い換えることができる。石牟礼や緒方のいう「魂」は、脱身体的な次元のものではなく、慈しみ、食べ、生き生かされるという他種・多種との互恵性において感じ取られるものなのだ。

『苦海浄土』に描かれる海辺には、そうしたマルチスピーシーズ共同体が存在していた。タコやイカや鯛やボラなどの魚、牡蠣やあさりなどの貝、わかめ、ひじき、あおさなどの海藻、また海のものだけでなく、近くの山のわらびやつわ蕗など、他種・多種との交わりが暮らしそのものであった。水俣病発生前の海辺の暮らしを綴った『椿の海の記』(一九七六年)に、そうした暮らしぶりが鮮明に描かれている。

あした、あさりご飯をつくろうとおもえば今日、あさりを採りにゆく。すると、あさりだけでなく、アオサも巻貝の類もはまぐりも潮吹き貝もぶう貝も、ひじきまで採ってくる。欲ばって採ってくるのでなしに、採って帰らぬと、海の中の貝たちの人口がふえてふえて、うじゃうじゃになりはせぬかとおもうくらいに、もうそこらじゅうにいるのだったから。海に降りる山道のついでに、つわ蕗もわらびも山椒も採れた。山道伝いに、一日海に下れば、ゆうに一週間分は、多彩に食べわけられるしゅんの海山のものを、背負いながら帰っていた。

自分が採ってあげないと、海のものたちが「ふえてふえて、うじゃうじゃになりはせぬか」という気遣いから、目当てのあさりだけなく他のものも採る。山菜にしても同じだ。海山のものを気遣いケアするのは、自分がそれらにケアされ楽しませてもらっている、という互恵性を実感しているからにほかならない。言及されている食べものは、貝や山菜という概念で一括りにされるのではなく、巻貝、はまぐり、潮吹き貝、ぶう貝、つわ蕗、わらび、山椒とよばれており、そのような言葉遣いに、具体的な固有のものたち――食べものであると同時にそのもの――との交流が表れている。

水俣病発生後も、こうした海山のものたちとの絡まりあいが海辺の人びとの暮らしをかたちづくっていたことを、石牟礼は坂上ゆきや江津野老人に語らせている。坂上ゆきの回想をもうひとつ引用しよう。

どのようにこまんか島でも、島の根つけに岩の中から清水の湧く割れ目の必ずある。そのような真水と、海のつよい潮のまじる所の岩に、うつくしかあをさの、春にさきがけて付く。磯の香りのなかでも、春の色濃くなったあをさが、岩の上で、潮の干いたあとの陽にあぶられる匂いは、ほんになつかしか。

そんな日なたくさいあをさを、ぱりぱり剝いで、あをさの下についとる牡蠣を剝いで帰って、そのようなだしで、うすい醬油の、熱いおつゆば吸うてごらんよ。都の衆たちにゃとてもわからん栄華ばい。あをさの汁をふうふういうて、舌をやくごとすらんことには春はこん。

あおさはわかめと同じく九州の春の味覚である。真水と海水の交わる岩場に生えるあおさは、ゆきの全感覚——視覚(「うつくしかあをさ」、「春の色濃くなったあをさ」)、嗅覚(「陽にあぶられる匂い」)、聴覚と触覚(「ぱりぱり」剝ぐ、「舌をやくごと」汁をすする)、味覚(牡蠣の「だしで、うすい醬油の、熱いおつゆ」)——にはたらきかける感応的な行為体である。単にあおさと牡蠣をとってきて汁にして食べた、というのではなく、ゆきは、海の岩場の生態系を体感的にとらえ、それに楽しませてもらっている。そのような暮らしは水俣病発症後もリアリティを損なわず、だからこそ病棟のゆきは海に想いを馳せ、海とつながり続け、看護師が作ってくれた紙の伝馬舟を病院の廊下で曳(ひ)いていたのだ。

「あをさの汁をふうふういうて、舌をやくごとすらんことには春はこん」というリアリティは、水俣病発生・発症後も変わることはなかった。そのことが、「水俣病わかめといえど春の味覚」という一文に表れているのである。『苦海浄土』を読んで、水俣という場所の人間以上(モア・ザン・ヒューマン)の共同体が水俣病多発地帯の陰画として読者の感覚に焼き付くとき、近代の自己完結的生命観が何を葬り、埋め立ててきたかが実感されるであろう。だから石牟礼作品は読み継がれているのであり、別の未来を想像するよすがであり続けているのだ。

3　暮らしのなかの脱成長——梨木香歩『雪と珊瑚と』

真似したくなる節度ある豊かさ

大量生産、大量消費、大量廃棄が地球環境に負荷をかけていることは誰の目にも明らかである。地球の限界(プラネタリー・バウンダリー)が科学的に証明され、経済成長をいつまでも追求することはできないということも指摘されている。とはいえ、「経済成長ありきという思想にすっかりなじんでいる集団にとっては、それ以外の生き方など、ほとんど想像もできない」(カリス他)。資源の限度を意識した「それ以外の生き方」は、往々にして「脱成長」という言葉で表される。この語はマイナス成長と誤解されることがあるが、経済学・哲学研究者セルジュ・ラトゥーシュが言うように、脱成長が意味するのは「経済成長社会と決別する必要性」であって、成長の否定ではない。脱成長は、「生態系の再生産に見合う物質的生活水準」にもとづいた成長を目指しており、これをラトゥーシュは「節度ある豊かさ」と言い換えている。

環境に負荷をかけない節度ある豊かさとは、たとえば工業的畜産による肉を避け、野菜はできるだけ近場で生産された農薬・化学肥料不使用のものを選び、生ごみを堆肥にし、むやみやたらにエアコンを使わずゴーヤや朝顔などの蔓性植物を窓の外に這わせた緑のカーテンや簾で遮熱する、といったことを、禁欲的にではなく、愉しんでおこなうようなものとイメージできるだろう。我慢を強いられると「豊かさ」の感覚は得られない。環境に負荷をかけない生活を強要されるのではなく自ら愉しむというところに、経済成長信仰からの解放がある。先に引いた「経済成長ありきという思想にすっかりなじんでいる集団にとっては、それ以外の生き方など、ほとんど想像もできない」という状況は、「節度ある豊かさ」を実感することの難しさを物語っているが、環境搾取的でない暮らしを真似してみたくなるような描写は文学作品に散見される。梨木香歩(一九五九年―)の作品もそうだ。

梨木のデビュー作で、数々の文学賞を受賞し映画化もされた『西の魔女が死んだ』(一九九四年)は、絶大な人気を誇る小説だが、この作品が多くの読者を魅了した一因は、西の魔女こと「おばあちゃん」の節度ある豊かな暮らしぶりにあるのではないだろうか。イギリス生まれで日本に暮らすおばあちゃんは、裏庭に自然と生えているかのようなミントをお茶や虫除けに使ったり、大きなシーツ類を桶でざぶざぶと洗ってラベンダーの繁みにふわっとのせて芳香が付くように乾かしたり、野苺が大量に採れたら外のかまどに火を入れ、大鍋で煮てジャムにして瓶に詰めたり、玉ねぎを料理に使うだけでなく「眠れるおまじない」としてネットに入れて孫の「まい」の枕元に置いたり、という具合に、家のぐるりにあるものを多目的に生活に取り入れている。自然と折り合った暮らしを、梨木は〈おばあちゃんの知恵〉としてではなく、個人の生き方として描出した。そうした書きぶりも読者の琴線に触れたのだろう。

『西の魔女が死んだ』に描かれている経済成長から解放された暮らしは、世界の再魔術化の試みとして解釈することもできる。中学に進んで学校へ足が向かなくなった孫のまいに魔女の手ほどきをするというかたちで、おばあちゃんの信条は孫に伝承される。

しかし、それは個人レベルの生活実践、すなわちシンプル・ライフに類するものだ。シンプル・ライフは脱成長と同じではない。両者の違いについてラトゥーシュは次のように述べている。「確かに、シンプル・ライフなど、個人レベルで様々な倫理的行動を選択することで環境破壊の傾向を変え、社会体制の想念の基礎を崩すことはできる。しかしそれでは、社会体制を根本的に問い直すまでには至らず、変革は限定的である。事実、必要なのは真の人類学的変革ではないだろうか。孤立した個人ではなく、社会的な相互依存性（ソシエタル）、ひいては有機的宇宙（コズミーク）の相互依存性の中に常に埋め込まれた存在として自己を捉える必要があるだろう」。

『西の魔女が死んだ』は節度ある豊かさを読者が真似したくなるような感染力をもつものの、脱成長に込められた社会体制の根本的再検討には届いていない。同様のことが、手仕事に携わる四人の若い女性の共同生活を描いた『からくりからくさ』（一九九九年）にも言える。この小説には、主人公「蓉子」が祖母から受け継いだ自然と共生する暮らしの流儀が、他の三人にじんわりと感染する様子が描かれているが、それは社会の変化の渦から外れた「結界が張られたような家」でのことである。

経済成長の重圧から解放されたオルタナティブな共同体に想像力が触れているという点では、梨木の小説『雪と珊瑚と』（二〇一二年）に脱成長へと通じる通路が拓かれている。

経済成長社会に幻視される別の道

『雪と珊瑚と』は、二一歳の「珊瑚」が生まれてまもない娘の「雪」とともに生きてゆく物語である。といっても孤独な母子家庭の物語ではなく、多くの人との関わりのなかでの二人の様子が語られる。珊瑚は、父を知らず、母はほとんど家におらず、親が授業料を払えないのでなく払わないために高校を中退したという、「何もかもが普通でない」環境で育った。いや、育ったというより、そういう環境を生き抜いてきた。だから、「どんなときでも、自分さえしっかり頑張れば大抵のことは何とかなる、現に何とかなった、自分の力でやってきた、という自負と確信のようなもの」が珊瑚にはある。知り合った男性とのあいだに生まれた娘との二人暮らしは、先立つものがなく、赤ん坊を抱えて職探しもままならず、かなり追い詰められているが、悲嘆に暮れるというよりも、悲嘆に暮れて泣いている自分にショックを受けるという客観的な自己観察力が珊瑚にはある。

小説の冒頭は往々にして作品全体と相関関係にあるが(1章参照)、『雪と珊瑚と』も例に漏れず、珊瑚と雪を通して相互扶助的共同体へと物語が展開することを予感させる書き出しになっている。

珊瑚が初めてその小さな貼り紙を見たのは、散歩中、それまで通ったことのなかった住宅街の道へ入ってしまったときだった。

赤ちゃん、お預かりします。

ごく普通の、というより、昔は普通だった、下見板張りの古びた家で、とても託児所を名乗っているような外観ではなかった。

幼な子を抱えて職探しもままならない珊瑚は、散歩を愉しむというよりも、不安や感情の揺らぎで上の空の状態だったのだろう。だから、それまで通ったことのない道に迷い込んだ。そうした自己の鎧が外れた状態は、珊瑚が産後だということと関係する。梨木は、かつて筆者がインタビューしたとき、「出産ほど、自分と他との境界が実質的に揺らぐという経験はない」と言い、「自分の存在をかけたような揺らぎでないと、珊瑚は他の人の助けに対してオープンになれなかった」と、「産後の珊瑚」という人物造形について語っていた。市場原理が支配する世の中を生き抜いてきた珊瑚は、産後に涙腺が脆くなったと繰り返し作品で語られるのだが、身二つになって初めて他者と地続きの感覚を得たのである。そのようなときに目にしたのが、

「赤ちゃん、お預かりします。」という貼り紙だった。それは、「いい加減さと鷹揚さが混在して、仄かな温かさを醸して」おり、「「定員数」や「規定」を盾に冷たく門前払いされ続け」てきた珊瑚の心に、「まるで体に欠けていた栄養素のようにすうっと入ってきた」。そのようにして珊瑚は貼り紙の主である年配の女性「くらら」と出会い、雪を預けてパン屋で働き、くららや彼女の知り合いの協力を得てカフェと惣菜の店を開くに至る。冒頭の数ページは、経済成長社会を軋ませながら、市場原理のそれとは異なる幸福の指標を暗示している。

くららは、とりあえずやってみて上手くいかなかったらそのとき考えましょう、というおおらかな人物として描かれている。行き当たりばったりというのではなく、個人や社会を超えた力に身を委ねた生の肯定にもとづく懐の深さを体現しているくららを、社会の経済成長志向に疑問をもつ若者たちが慕う。その一人が、オーガニック農場を経営する甥の貴行で、くららは甥について、商社に勤めて「金のことばかし考える人生はもう嫌だ、って突然やめちゃったの。彼の両親はおろおろしてたけど、私はそのとき、そうだそうだ、やめろやめろ、って大賛成した」と珊瑚に語る。貴行と農場を共同経営する時生もまた、保育士として子どもと向き合っていたが、それでは解決しない社会問題があることを痛感し、農業に携わっている。

かれらは売り物にならず堆肥にするにも持て余す野菜をくららの求めに応じて家に届ける。

たとえば出荷後に大量に残ったキャベツの外葉が届いたとき、くららは「ザクザク切って、圧力鍋(なべ)で炊い」て、「軟らかくなって、アクも取れたそれを、プロセッサーにかけてどろどろに」して、ベシャメル・ソース(ホワイトソース)と混ぜて塩胡椒で味を整え、「外葉ベシャメル・ソース」にする。これはそのままスープとしても美味しいし、フィッシュ・ケーキなどに応用も利く。丸くカーブしたキャベツの外葉は、頭に敷いたりおでこに載せたりして熱冷ましにも使えるとくららは言い、かつて開発途上国にシスターとして派遣されていたときに現地の人から教えてもらったのだと珊瑚に話す。この熱冷まし方法は、雪が急に発熱したときに功を奏した。普通は捨てられるものが美味しい料理や水枕代わりになるという描写には、廃棄観の刷新を体感的にもたらす効果がある。

脱成長を指向する貴行や時生のような人物と、肩の力が抜けたくららの相互交流があり、生活は苦しいが、仕事に稼ぎではなく「やりがい」を求める珊瑚がかれらと関わりを深めてゆく。珊瑚が一方的にかれらに同調するのであれば、思想的洗脳と紙一重の展開であるといえるが、物語は双方向的に、珊瑚がかれらに助けられると同時に珊瑚のふるまいがかれらの琴線に触れるというかたちで展開する。

おおらかなくらら、社会的批判精神と脱成長社会への指向を明確にもつ貴行や時生、社会的通念で珊瑚を批判する人たち、珊瑚を捨てたように見えながらそうではなかった珊瑚の母など、幸福をめぐる多様な見方の織りなす網の目に珊瑚を位置づけることで、梨木は、節度ある豊かな生活を、ユートピアとしてではなく現実問題として探究する文学空間を創出している。

「チーム・自分」の共同体

貴行と時生は、経済成長志向に対する批判精神をもちつつ、市場原理が張りめぐらされた社会で生きている。かれらにとってオーガニック農業は、理想的なコミューン創出の手段というよりは、社会でよりよく生きる現実的な術だ。だから、カフェと惣菜の店を構想中の珊瑚から、市場に出さない野菜を安く譲ってほしいと言われたとき、貴行は毅然としてこう応える。「売り物にしない、ってことは、売らない、ってことなんだよ。〔……〕ここの農場の生産品として、市場には出さない、って線引きされたものなんだ」。安さを求めるのであれば低価格を売りにしているスーパーに行けばいい、自分たちの農場が価値を置いているのは安さではなく、地球に負荷をかけない栽培にもとづく品質だという貴行の主張は、市場原理にもとづいているように見えてそれを転覆する論理を示唆している。とはいえ、前述したキャベツの外葉などの始末は時生の管轄であり、「とき〔時生〕が、それを堆肥（たいひ）づくりに使おうが、近所の家畜のえさに回そうが、あるいは自分の知り合いに譲ろうが、僕は関知しない」と、優しさを滲ませる。貴行のビジネスライクでありながら共感的でもある態度に仄めかされているのは、〈あげる・もらう〉という施しや同情とは一線を画した相互扶助のあり方だ。

同情でも迎合でもない、対等な個人と個人の相互交流は、梨木作品の思想的基軸である。第一作の『西の魔女が死んだ』で、学校でいじめられ、「一匹狼（おおかみ）で突っ張る強さを養うか、群れで生きる楽さを選ぶか」で悩むまいに、おばあちゃんが「その時々で決めたらどうですか。自分が楽に生きられる場所を求めたからといって、後ろめたく思う必要はありませんよ。サボテンは水の中に生える必要はないし、蓮（はす）の花は空中では咲かない。シロクマがハワイより北極で生きるほうを選んだからといって、だれがシロクマを責めますか」と語るのだが、おばあちゃんの言葉には自分自身で考えることが何よりも大切だという信念が貫いている。同様に、『からくりからくさ』で描かれる女性たちも自立共生的（コンヴィヴィアル）だ。

自分を客観的にとらえて考える個人を、梨木は後に「チーム・自分」と表現した。コロナ禍という大人の言う非常時に置かれた若い人たちに向けて書かれた『ほんとうのリーダーのみつけかた』（二〇二〇年）で、梨木は、個人であるとはどういうことかを次のように説明している。

自分のなかの、埋もれているリーダーを掘り起こす、という作業。それは、あなたと、あなた自身のリーダーを一つの群れにしてしまう作業です。チーム・自分。こんな最強の群れはない。これ以上にあなたを安定させるリーダーはいない。これは、個人、ということです。

そして、群れというのは本来、そういう個人が一人ひとりの考えで集まってできるものであるべきだと思っています。個人的な群れ、社会的な群れ、様ざまな群れがありますが、それに所属する前に、個人として存在すること。盲目的に相手に自分を明け渡さず、考えることができる個人。

自分で考える個人として存在することは日本社会ではまだまだ難しい。だからだろう、梨木の小説には海外で育った人物が特徴的に登場する。『西の魔女が死んだ』のおばあちゃんはイギリス生まれであり、『からくりからくさ』のマーガレットはアメリカ人、そして『雪と珊瑚と』のくららは外国育ちでシスターとして海外で生活した、という設定である。かれらを含め主要登場人物の多くは手仕事に造詣が深く、手間ひまをかけた暮らしの愉しさが作品全体の基調となっているが、それが〈おばあちゃんの知恵〉という過去回帰的な雰囲気を纏っていないのは梨木特有の書きぶりによる。前述したインタビューで、梨木は、自己形成期にヒッピー文化が全盛で、「おばあちゃんの知恵みたいなものが、先鋭化された意識を経由して私のところに届いた」と語っていた。手仕事と関わる生活を、梨木は、カウンターカルチャーと通底するような自己のスタイルの発現として、言い換えれば「考えることのできる個人」＝「チーム・自分」の選択として、表現しているのである。

梨木の小説で描かれる節度ある豊かさは、利己的ではない、自分を客観的に見つめる目をもった「チーム・自分」という個人が選び取った生き方であり、そのような個人の相互交流が『雪と珊瑚と』で展開している。

手から生まれる快楽と連帯

『雪と珊瑚と』は、「自分の生き方と、経済を、もっとはっきり言えば、金勘定を、どう折り合わせていくか」という、脱経済成長社会に向けた現実的な試行錯誤の物語として読める。先にみたオーガニック農場で出荷しない野菜の始末もそうだが、珊瑚がパン屋で経験した次の話も、脱経済成長が同情や施しと異なることを示している。それはこんな話だ。パン屋に来店した親子をみていた珊瑚は、アトピーのため小麦も牛乳も卵を受けつけない子どもがメロンパンを欲しがるのが不憫で、くららに話した。くららは軽羹（かるかん）を応用した「メロンパンもどき」（後に珊瑚の店で「メロンパン羹」という商品になる）を作る。それを珊瑚が親子に渡したとき、商品にして売ってほしいと親から言われた。それを知ったくららは、「もらう方は、自分がこの商品を選んで買うという立場でありたいと思う。あげる方も、限りある時間を割いて無償でやっていることだから、半永久的に続けられるほどの余裕があるわけではない。そういう場合、いちばん長続きするのは、あげる方がそれをつくることを生活のための仕事の一部にしてしまうこと。それが双方にとっていちばん無理のない、合理的な方法でしょうね」と、自戒を込めて語る。「つくることを生活のための仕事の一部」とする生き方は、後に珊瑚がくららたちの協力を得て開店にこぎつけるカフェと惣菜の店で実践されることになるのだが、こうした展開に、市場原理に手仕事的感性を組み込んだ社会が幻視されている。

手仕事とは、文字通り、手に記憶された技でおこなわれる仕事を指す。鍛冶屋、炭焼、宮大工など手仕事の職人を日本全国に訪ねた作家・塩野米松（一九四七年－）は著書『失われた手仕事の思想』（二〇〇一年）で、手仕事は機械やコンピュータに取って代わられ、「現在は、作り手が見えない、経験がいらない、積み重ねが不要の時代である。送り出されてくる機械は、手もいらず、肉体も必要としない」と語り、「手仕事の時代は終わった」と述べている。なぜ「作り手」、「経験」、「積み重ね」、「手」、「肉体」、そして「人間」さえも必要としない時代になったのか。塩野によれば、頭で考える訓練を教室でおこなう学校教育とは異なり、手仕事は身体で覚える実践教育であり、一人前になるのに時間がかかり、仕事それ自体も手間を必要とするため、現代の効率主義と相容れないのだという。

知能偏重の学校教育、効率重視による仕事の機械化は、経験不要、ひいては「人間不要」の時代を招き寄せた。漁を例にとり塩野が説明するところによれば、かつては人間が五感と経験にもとづいて潮の流れ、風の動き、海底の地形を読み解き、舟を操作していたが、現在は魚群探知機や自動操舵装置を用いて漁がおこなわれ、「勘や経験よりもパソコンの操作が漁の上手下手を決める」。現在の漁では、「魚とのやりとりはない。海の異変や変化を知り、それを頭の中に経験として組み込んでいくシステムもない」。「魚とのやりとり」という表現に、先にみた緒方正人の生き方が重なる。手仕事としての漁は、魚を単なる商品ではなく同じひとつの世界に生きる存在ととらえる感覚を伴う。

塩野が言うように手仕事の時代は終わった。しかし、それは必ずしも手仕事的感性の根絶を意味するわけではない。旬の苺を大鍋で煮てジャムにしたり、そこらに生えているカラスノエンドウやスズメノエンドウを摘んで油炒めにしてみたり、手間のかかる蕗（ふき）の処理——「塩をまぶして板ずりをし、さっとゆでて〔……〕水につける。それから皮を剝(む)いて、また水につけておく」――をやってしまう登場人物たちは、『からくりからくさ』の四人に顕著なように、頭では面倒くさいとわかっているものの「やりはじめたら手の方がのめりこんでしまって、結局全部終わるまで止まらない」。効率重視では得られない手仕事的快楽は、それが人びとをつなぐはたらきをする場合、社会的「想念の根本的な脱植民地化」(ラトゥーシュ)を促す。そのような手でつながるオルタナティブな社会を梨木は文学に再現しているのだ。

経済成長志向を相対化し自分の生き方を考える珊瑚、くらら、貴行、時生らは、頭でなく手の論理でつながっている。無論、起業資金の申請をはじめとする数字との格闘は数知れず、起業後は売上という数字が頭を占めるが、そうした数字の支配に屈しない手仕事的感性が珊瑚たちをつないでいる。くららや貴行や時生、かれらの紹介で出逢う農家や実業家、そして同じアパートに住む助産婦の友人に、同情からではなく対等な個人として助けられ、店を切り盛りするに至る珊瑚の物語は、彼女と同じく自分の生き方と向き合って試行錯誤する人びとの共同体の物語でもある。さらに、「雪がいなければ、こんな力は出なかった」と語る珊瑚に仮託して、梨木は、将来世代に対する現世代の責任(リスポンシビリティ)＝応答力(リスポンス・アビリティ)を問うているとも言えよう。

キャベツの外葉を熱さましや料理に使ったり蜘蛛の巣を網戸代わりにするといった発想の転

換に満ちた梨木の物語は、手仕事的感性をくすぐり、それにより経済成長とは異なる幸せの指標を思い描かせる。梨木の小説ほど、真似したくなるようなかたちで脱成長社会を具体的にイメージさせる作品はそうないだろう。むろん、そこには創作上の工夫が凝らされており、先にみた蕗の処理もそうだが、料理や下ごしらえの場面に手順や要点が記されるという具合に、文学空間に手仕事的経験の現場が再現されている。経験と現場がセットになっているから、真似したいという気持ちが自ずと生じるのだ。こうした梨木の文学は、「経験の絶滅」(2章参照)を押しとどめるだけでなく、試行錯誤を愉しむ余裕を生み、生活に余白をもたらす。経済成長ありきの社会において人間以上(モア・ザン・ヒューマン)の幸福が実感される場は、そのような余白をおいて他にない。

4章

人新世を考えるために
――〈人間以上〉を描く作家たち

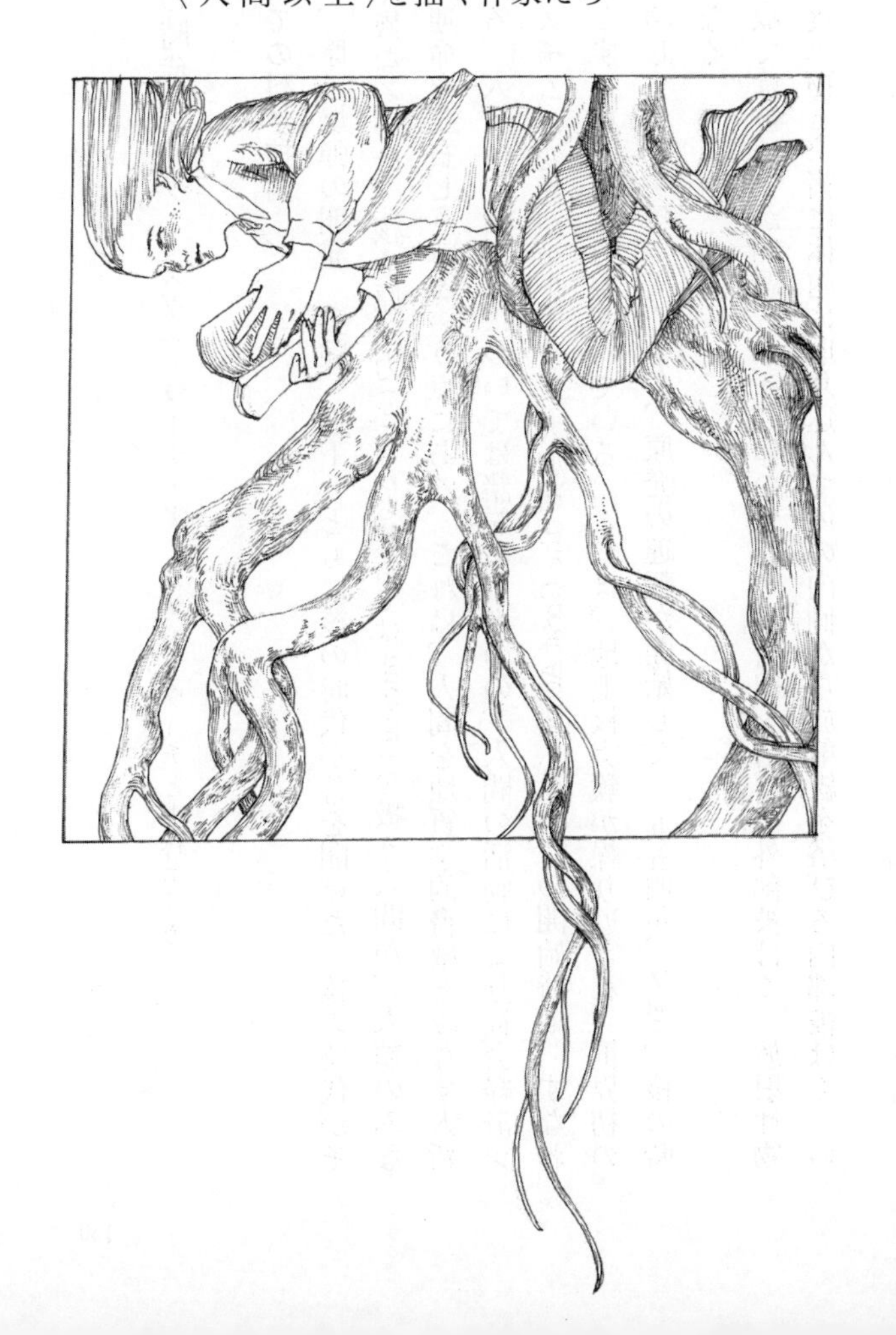

1 核の時代の祈り――スヴェトラーナ・アレクシエーヴィチと小林エリカ

メタ言語としての科学技術

二〇世紀半ば、原子爆弾の開発、実験、投下とともに核の時代が幕を開けた。核の時代がそれ以前と大きく異なるのは、核や原子力(どちらも英語ではnuclear)を扱う人間が、人類のみならず地球環境の運命を左右しうるという点にある。これは、人間を地質学的脅威とみなす人新世的発想と重なる。人新世の始まりについては諸説あるものの、人間の活動により社会経済システムと地球システムの変動が激化する「大加速(the Great Acceleration)」の開始時期、すなわち一九五〇年代とする見方が有力視されている。これは、地上核実験が繰り返され、世界初の原子力発電が成功し(一九五一年、アメリカ)、原発の運転が開始した(一九五四年、ソ連)、核の時代の幕開けと重なる。

原爆や原発事故では被ばくが問題になる。体の外から放射線を浴びる外部被ばく、放射性物質を空気や水や食べ物と一緒に体内に取り込んで体の内側から放射線を浴びる内部被ばく、いずれも放射線が生命を危険にさらす。そうした危険性をもつ放射線は、他方でレントゲンや放射線治療など医学に利用され、人間はその恩恵を受けている。放射線は利にも害にもなるということ、すなわち科学技術の両義性については、当の科学者が最もよく認識しており、放射能の発見によりノーベル物理学賞を授与されたマリーとピエールのキュリー夫妻は、ダイナマイトを発明したノーベルに言及しながら、「人類は新しい発見から悪よりも善をより多く引き出すと考える」と受賞スピーチで述べた。

ふつうに考えれば、科学技術の利と害は正反対の事象を指す。しかし、現代の〈ふつう〉は〈つくられたもの〉であるという本書で強調してきた見地からみると、放射線が利にも害にもなるという見方は、科学技術という台座においてのみ意味を成すと言えなくもない。放射線の両義性は放射線についての概念であって、事象としての放射線に斬り込んでいるわけではない。つまり、被ばくやがん治療で議論される「放射線」は、科学技術というメタ言語によって思考対象として構成されたものなのである。

本節で取り上げるスヴェトラーナ・アレクシエーヴィチ(一九四八年―)の『チェルノブイリの祈り』(初版一九九七年、増補改訂版二〇一三年)と小林エリカ(一九七八年―)の『マダム・キュリーと朝食を』(二〇一四年)はいずれも、科学技術に依拠してきた存在感覚を、人と技術や物とが絡まり動的連関をつくり上げる、という関係論的視座からとらえ直そうとする作品である。核をめぐる利／害、善／悪、安全／危険といった二元論的発想のいきづまりを示唆し、動的関係という地平で核の問題をとらえ直す文学的試みにおいて、アレクシエーヴィチと小林は、科学技術からこぼれ落ちていた身体やエロスを前景化している。そうした作家たちの文学実践が核の時代にどのように斬り込んでいるのかをみていこう。

放射能発見からたかだか一二〇年

放射線の研究は、一八九五年、ドイツのヴィルヘルム・レントゲンが実験中に、人間の目には見えない、物体を通り抜ける光のようなものを偶然見つけたことに端を発する。レントゲンはこの新しい光を、未知を意味する「X」線と名づけた。これを皮切りに放射線研究は勢いづき、翌九六年、フランスのアンリ・ベクレルによって、ウラン化合物にX線に似た光線を出す力(放射能)があることがわかった。そして一八九八年、キュリー夫妻が、ウラン化合物から放射線を出しているのがウラン原子であることを解明した。radioactivity(放射能)という言葉はマリー・キュリーの造語である。レントゲンは一九〇一年に第一回ノーベル物理学賞を、ベクレルとキュリー夫妻は放射能の研究に対して一九〇三年にノーベル物理学賞を授与された。

これら放射線研究の先駆者たちは、透過力をもつ見えない光線の不思議に引きつけられた。謎の光線のもととなっている放射性元素の研究を究め、新元素ラジウムの化学的同定に取り組んでいたマリー・キュリーにとって、周囲の物体を発光させる放射線の「青白い散乱光」は「いつでも新たな感動と賛嘆のみなもとだった」という(ヴォウチェク)。

放射線がもたらす光に魅了されたマリー・キュリーの姿は、被ばくの危険性を知る私たちからみれば不可解ないし不自然に感じられるだろう。けれども、放射線の危険性は科学技術の進展によって明らかになったのであり、その意味で、今日の常識は科学技術に依拠してつくられたものである。

後述する小林の『マダム・キュリーと朝食を』には、マリー・キュリーを彷彿させんばかりに「光」に魅了される猫が登場するが、これは、今日の常識を当てはめて放射能についてわかった気になることを牽制する文学的仕掛けだと言える。また、小林は『マダム・キュリーと朝食を』と前後して発表した科学史マンガ『光の子ども』1－3で、放射能研究のパイオニアの言動をかれらが生きた時代の文脈において想像しようとしている。ここにも、科学的客観性というベールをはがし、放射線や放射能とともに生きざるを得ない時代の存在論に向き合う作家の姿勢があらわれている。

放射能が発見されてたかだか一二〇年余り。この間、科学技術の発展や「想定外」の出来事により放射能をめぐる認識は変化してきたし、今後も変化することだろう。アレクシエーヴィチが述べているように、チェルノブイリの雲がアフリカや中国の上空に流れ、半減期（放射能が半分になるまでの時間）が何千年、何万年という放射性物質がとりまく世界は、人間の時間・空間感覚では到底とらえられるものではない。核の時代に向き合うには、感覚を再調整しなければならない。『チェルノブイリの祈り』と『マダム・キュリーと朝食を』で展開しているのは、まさしくそうした感覚の再調整の試みである。

廃棄と封じ込めの思考

ここで廃棄について簡単にみておきたい。というのも、廃棄に対する態度には環境観が露骨にあらわれるからだ。3章でみたように、石牟礼の『苦海浄土』には、水銀汚染に見舞われても揺らぐことのない、海との親密な関係ゆえに魚をとって食べ続け水俣病に罹った漁師が登場するが、そうした漁師たちに仮託して石牟礼は、汚染されたものを回避ないし廃棄するという発想に還元されない関係論的環境観を示した。同じように、アレクシエーヴィチと小林は、放射能汚染を危険視して遠ざける態度を解体し、人と環境が不可分である関係をあぶり出す。

廃棄について考える上で、都市計画家ケヴィン・リンチの遺作『廃棄の文化誌』(一九九〇年)は示唆に富む。ごみやガラクタといったモノの廃棄、放置というかたちでの土地の廃棄があり、排泄もまた廃棄のひとつである。人間が衰弱し捨てられる場合も廃棄にあたる。産業廃棄物処理場は随所にあり、ある場所が有害物質で汚染されれば、そこに生息する動物は生物系汚染廃棄物として処理される。不要なもの、汚いもの、危険なものの廃棄には不快感が伴うが、それは生得的なものではなく、理性が創造した感覚だとリンチは述べている。汚い／きれい、不浄／清浄といった二項対立的思考が、汚いものや危険なものを捨てる・封じ込めるという行為を正当化しているのである。しかし、排泄がそうであるように、「廃棄は、生存には欠かせない要素である。廃棄のプロセスが、上手に管理されなければ、生命は脅かされる」。

ごみを収集所に捨て、汚物はトイレに流すというふうに、私たちは日常的に廃棄物を遠ざけている。これは廃棄に対する私たちの責任の放棄にほかならない。責任(リスポンシビリティ)は、言い換えれば応答力(リスポンス・アビリティ)であり、応答するためにはまず廃棄物と向き合うことが必要だ。リンチは廃棄との上手なつきあい方の事例として、さまざまなモノや場所のリサイクルを挙げている。そこでは経済性を重視した現実的な方法に加え、儀式を通した廃棄観の刷新にも言及し、廃棄に対する「概念と情緒の再組織化」の重要性を示している。概念を解きほぐし、情緒に訴えかける

「再組織化」には、言葉の見直しを伴う。たとえば昨今、ダナ・ハラウェイがhuman（人間）とhumus（腐植土）の相似性に着目して人間と他種・多種との混淆的なあり方をcompost（堆肥体）とよんだことで、それまで廃棄され遠ざけられていた対象を、ともに連れ立って存在するものとしてとらえる動きが生まれた。言葉は、感性や感情を束縛しもすれば自由にもするのである。

放射性廃棄物に対してはどのような応答がありうるだろうか。リンチは廃棄の創造的刷新の道筋をいくつも示してはいるが、放射性廃棄物については危険／安全の二項対立的見地をなぞるにとどまっている。この問題はわからないことが多く、応答の仕方も責任のとり方も模索の途上なのだ。

だが明らかなこともある。それは、生命を危険にさらさないためには放射線を遮断し隔離しなければならないということだ。封じ込めである。池澤夏樹が一九九〇年代初頭にエッセイ「核と暮らす日々」で指摘していることだが、放射線を封じ込めるべきものとしてとらえる思考は、原発施設の建築構造だけでなく、施設を説明する際によく用いられる「固い」、「丈夫な」、「密封」、「がんじょうな」、「気密性の高い」、「厚い」、「しゃへい」という言葉にも見てとれる。つまり、封じ込めという工学的原理が原子力をめぐる思考そのものに及んでいるのである。封じ込めが工学の分野に限られるなら問題はないが、それが思考のあり方にまで及ぶと、本節冒頭で述べたような科学技術というメタ言語に思考が縛られることになる。『チェルノブイリの祈り』には、原発事故で被ばくした人や環境に対するさまざまな態度が示されており、そのひとつに、事故直後に現場で被ばくした消防員の封じ込めがある。放射線を浴びた男たちは、「人間じゃなくて、原子炉」と言われ、専用病棟に閉じ込められて研究材料とされた挙句、廃棄される。核のごみさながらの扱いだ。

他方で、被ばくして死んだ男たちは、次の引用に明らかなように国家の英雄に祀りあげられることもある。

礼装用軍服の夫がポリ袋に押しこまれ、くちが結ばれました。この袋が木の棺のなかに入れられて……棺はさらにもうひとつの袋でくるまれた……。ポリ袋は透明ですが、防水布みたいにぶ厚かった。そしてこれがぜんぶ亜鉛の棺に押しこむように納められたんです。〔……〕わたしたちの応対をしたのは非常事態委員会で、だれに対してもおなじことをいうのでした。ご主人、あるいはご子息の遺体はおわたしできない。遺体は放射能が強いので特殊な方法でモスクワの墓地に埋葬されます。亜鉛の棺に納め、ハンダ付けをし、うえにコンクリート板がのせられます。ついてはこの書類にご署名願いたい。〔……〕あなたのご主人は英雄であって、いまはもう家族のものではない。国家的な人物で……国家のものなんです、と。

礼装姿の亡骸は英雄としてどのような扱いを受けているのか。ポリ袋、木の棺、亜鉛の棺と何重にも閉じ込められた上に、ハンダ付けとコンクリート板で密閉される。放射線の封じ込めとまるで同じだ。崇高な存在であるがゆえに触れることを禁じるという理屈は、危険だから触れてはいけない（それゆえ封じ込める）という論理を裏返したにすぎない。どちらも被ばくした男たちを人間としてみていないという点では同じである。

誰にとっても未知の場所

それとは対照的に、被ばくした消防士の妻リュドミーラ・イグナチェンコは、原子炉よばわりされる夫に対しいつもどおり愛する人として接する。「あなたの前にいるのはもうご主人じゃない、愛する人じゃないんです。汚染濃度の高い放射性物体なんですよ」と言われても、妻はあの手この手を使って病室に潜入し、夫の手を握って離さない。被ばくしても夫は妻にとって愛する人であることに変わりないのだ。

『チェルノブイリの祈り』の最初を飾るイグナチェンコの証言は、『苦海浄土』に描かれる漁師と海の関係を彷彿させる。水俣病発生後、町の人が地魚を忌避したのに対し、海に信頼と情愛を寄せていた漁師たちは、魚をとって食べることをやめなかった。イグナチェンコの夫への態度は放射能汚染によっても変わることがなかった。石牟礼の描く漁師とイグナチェンコはともに、危険/安全の二項対立的発想に還元されないいのち、すなわち3章で論じたビオスに回収されないいのちに向き合っている。

とはいえ、『チェルノブイリの祈り』と『苦海浄土』には大きなちがいもある。まず、水銀汚染が局地的でありうるのに対し、放射能汚染は広範囲に及ぶ。また、水銀で汚染された海を埋め立てるのとは異なり、半減期が千年万年単位の放射性物質は封じ込めることが容易でない。放射能汚染は人間の空間的・時間的尺度をはるかに超える影響をもつ。そこに想像力を絡ませる試行錯誤が、核をめぐる文学なのだ。

人間の尺度が効かない放射能汚染は、見慣れた場所を未知の空間、すなわち「ゾーン」に変える。アンドレイ・タルコフスキー監督のSF映画『ストーカー』(一九七九年)の地上に忽然と現れた不可解な空間も、原発事故後の立入禁止区域も、人間にとって未知の空間という意味をゾーンに被せている。小説『ゾーンにて』(二〇一三年)をはじめ核と原子力をテーマに作品を発表している田口ランディは、かつて筆者がインタビューしたとき、放射能汚染区域（ゾーン）は「誰にとっても未知の土地」であり、「そこにかつて住んでいた人も違和感をもつ土地」だと語っていた。『チェルノブイリの祈り』には、原発事故による強制避難後に故郷に戻った住民の証言が収められているが、大半が年寄りである帰還住民の言葉には故郷に対する違和感が滲み出ている。目に見えずにおいも音もない放射線は、故郷をよそよそしいものに変えたのだ。

　放射能汚染は「べつの空間感覚」と「べつの時間感覚」の体験をもたらした、とアレクシエーヴィチは述べている。放射能汚染に国境はなく、半減期が何千年何万年という放射性物質に、過去、現在、未来という人間単位の時間区分は通用しない。ラジウムの抽出に取り組んでいたマリー・キュリーのノートは現在でも光っており、半減期にあたる約一六〇〇年後の西暦三五〇〇年になっても微光を放っているだろう。『チェルノブイリの祈り』に収められている証言は、封じ込めをすり抜ける放射能に向き合った、あるいは向き合ってしまった人たちの言葉である。そこに封じ込めの思考に代わる新たな思考の種が胚胎していることを感知していたからこそ、アレクシエーヴィチは『チェルノブイリの祈り』を「未来の記録」とよんだのだろう。

　では、新たな思考の種とはどういうものか。一例として、事故処理作業に招集された歴史教師の証言をみてみよう。夫婦関係がこじれて自暴自棄だったというこの男性は、まるで他人事のように淡々と、自らが携わった汚染区域での作業について語るのだが、話題が森の除染に及ぶと思考が揺らぐ。

ぼくらは森を埋葬した……。樹木をのこで一メートル半の長さに挽き、シートにくるんで、汚染廃棄物捨て場になげこんでは埋めた。夜、寝つけなかった。目を閉じると、なにやら黒いものがゆらゆらしたり、ひっくり返ったりする……。生きもののように……。地層は生きている……。甲虫、クモ、ミミズといっしょに……。ぼくはどれも知らなかった、名前を知らなかったんです……たんに甲虫、クモ。アリ。大きいのや小さいのや、黄色いのや黒いのや。じつに多彩。だれかの詩で読んだことがあるんです、動物は別個の民であると。ぼくは彼らの名前も知らずに、何十、何百、何千となく殺した。彼らの家を破壊した。彼らの秘密を。ぼくは葬りに……葬った……。

防護服で遮蔽されているとはいえ、除染作業を通して、この男性は汚染された森と直に向き合った。それにより、森の生のうごめきに想像力が触れ、汚染物として廃棄することに違和感をおぼえたのである。男性の証言には、封じ込めへの懐疑と、人間ならざるものに同調する人間以上の感覚が読みとれる。加えて、そうした人間以上の世界への同調が、かつて読んだ「動物は別個の民である」という内容の詩によって補強されていることも見逃せない。文学によって表現を与えられた経験が思考へと昇華する兆しがうかがえる。

放射能汚染に向き合った人たちの奏でる遁走曲というべき『チェルノブイリの祈り』は、初版刊行から一六年後、当時は証言者の意思により初版に収めることのできなかった語りを多数加えて増補改訂版が刊行された。人びとが語る場をコントロールする社会的規制もまたメタ言語といえるのであり、その変容とともに思考や感性は組み直される。

人新世の地球は、私たちがなじんできた地球ではない。『チェルノブイリの祈り』は、放射能汚染により見知らぬものとなった故郷・地球と向き合うための羅針盤として読まれるべき作品である。

見えない光への感応

原子力に対して人間の時間・空間概念が通用しないのであれば、原子力の時間と空間にわれわれがトリップしてはどうか。そのような逆転の発想をとったのが小林エリカの『マダム・キュリーと朝食を』である。この小説で小林は、エジソンによる電球の発明など原子力以前の

「光」にも触手を伸ばし、見えない光を近く＝知覚に引き寄せる文学空間の創出を試みている。

小説の語り手は、ともに二〇一一年生まれの少女と猫、すなわち東日本大震災の年に生まれた人間と動物である。「東の都市」に住む一〇歳の雛（ひな）は、「光の声」を聞く女たちの家系に属している。「北の町」で生まれた猫は、放射能汚染から救出され東の都市に連れてこられたが、人間が去って猫が自由に生を謳歌できた北の町――放射性物質で光り輝いていた〈マタタビの街〉――が恋しくてたまらない。北の町にいる家族の消息も気になる。そのような猫に、小林は、原発事故と放射能汚染についてこう語らせている。

> 人間というのは目に見えないもののことを、ずっと考え続けることができないものなのでしょうか。どうして、目に見えないもののことは、みんなこんなにも簡単に忘れてしまうんだろう。
>
> 人間はもう〈マタタビの街〉のことや、光のことを話さなくなり、いつかきっと思い出すことさえ稀になるのでしょう。
>
> 母が兄弟姉妹たちが暮らしているはずのその場所は、まるで、この世にもとから存在しなかったみたいになりました。

もし、そんな場所がこの世に存在しないことになれば、母も存在しないことになるのでしょうか、すると私もまた存在しないことになるのでしょうか。私は時々そんな哲学めいた空想に耽るのでした。

ふわっとした表現に隠されているが、「目に見えないもの」は放射性物質だけでなく、放射能汚染区域、そこに住む人間や人間ならざるもの、さらには、この後小説で語られるX線や電気や原子力の犠牲になった人や動物も含意している。そう言ってしまうとこの作品を台無しにしてしまうのかもしれない。というのも、小林は、放射能汚染や放射性物質という言葉を用いず、権力構造や環境正義といった概念にも一切言及せず、原爆も放射能も電気も一緒くたに「光」とよび、さらには後述するさまざまな文学的仕掛けを張りめぐらして、見えない光や忘却された出来事への感応を呼び起こそうとしているからだ。

その工夫のひとつとして、小林は光に同調する猫と女たちを登場させた。光は人間の目には見えないが猫には見える。北の町が頭から離れない猫は、都市のあちこちで光っている食べものを見つけて親しみを覚え、また、それを食べると光の世界にトリップできることを知る。光をめぐる出来事に介入すれば故郷の母や兄弟姉妹を救えるという思いに駆られ、猫は光を貪りトリップを繰り返す。

そこで猫が見たのは、原子力発電以前の光、すなわち電気をめぐるドラマであった。マンハッタンで初めて電球の光が灯ったJ・P・モルガン邸、モルガンの出資で進められた発電事業で夜も明るいウォール街。白熱電球の柔らかい光がこぼれるモルガン邸界隈で激しい恋を生き、最期は電気椅子の実験台になった祖母猫。人間への憎悪を募らせ復讐を誓う母猫。最初は語り手の猫が見た光景だったが、ある時点で光の世界の猫と語り手の猫の境界が溶解し、実体験とも集合的記憶ともつかないかたちで物語が進む。

雛の語る物語は、ガンで亡くなる前にママが話してくれたことやICレコーダーに遺されたママのメモを語り直した、あるいは語り継いだものである。雛のママもおばあちゃんも曽おばあちゃんも、光が運ぶ「遠くで死んでしまった人間たちの、生き物たちの、言葉にならない声」を聞くことができた。そうした光の声に直に向き合うとき、女たちはセックスをする。曽おばあちゃんにとってそれは終戦翌年のある日のことで、次のように語られる。

今日こそ彼女は彼とセックスをしようと心に決めた。なぜなら、彼女は、光の声を聞いたから。

彼女はまず昆布を煮た。それから股をきれいに洗ってそれを塗った。これまで彼女は一向に濡れなかったのだ。それは彼女なりの一生懸命さだった。〔……〕

彼女は彼を勢いよく抱きすくめる。自分で着物の裾をまくり上げた。

彼は太ももからずっと上へと手を這わせる。指先がどろりと濡れる。濡れている！　彼は股間を固くした。それが毎朝のみそ汁の鍋で煮たものだなどとは想像だにしない。彼はおおいに興奮し身悶えながら遂にその一物を彼女の身体の中に挿しいれた。彼女は身体の中に彼の身体の一部があることを感じながら、窓の向こうの光の声に耳を澄ませる。

〔……〕

光は遠くで死んでしまった人間たちの、生き物たちの、言葉にならない声を、運んでくるのだった。

はっきりと聞き取れる声もあれば、そうでない声もあった。

ああ。光の声を掻き消すように彼女は唸り声をあげるのだった。唸りながら窓の向こうへ目をやると、ぴたりと猫と目が合った。

光の声を身籠って生まれたのが雛のおばあちゃんであり、ママであり、雛であった。セックスを通して光の声に同調する女たちは、そうした同調力を継承する子孫だけでなく、「言葉にならなかった言葉。彼女たちが聞かなければ、消えてゆく声」を産む。引用の最後で光に同調する女たちと猫の種を超えた類縁関係が仄めかされているように、光を食べて同調する猫もまた、光の声を産む。

官能の境界侵犯性

光との混淆的時空間を描くことにより、見えない光を可感化する小林の手法を詳しくみていこう。先の引用では、セックスを成就するために昆布が一役買っている。鍋で煮た昆布を股間に塗り、そこに指を這わせた夫が「どろり」と濡れていることに興奮したからこそ、夫婦関係が疎遠だった状況で女は目的を達成できた。こうした細部は小説に臨場感をもたらすが、昆布でどろりと濡れた股間の描写にはそれ以上の意味がありそうだ。というのも、猫が光を食べる描写にも、ある時点から「どろり」という言葉が使われているからである。猫の食べる行為は、最初は「喉を通り過ぎて行った」と即物的に語られるが、次第に、「どろりとした黄身を呑み込みながら」とか「ゼリーのどろりとした感触が纏わりつく」という質感を伴った表現になってゆく。

光への同調を語る場面に「どろり」という言葉が用いられるのは、どういうことなのだろうか。「濁った物が、とろけてやわらかくなっているさま」(『精選版日本語国語大辞典』)という定義を参照すれば、「どろり」という言葉は、個々の存在やものが絡まりあい境界が混濁するエロティックな様態を指すと考えられる。

どろりとした質感を描写に織り込むことで、小林はさりげなくも戦略的に、光を食べ、光の声を聞く場面に官能性をもたせようとしている。「どろり」だけではない。雛の母が、電気処刑の実験台となったコニーアイランドの象のトプシーについて教えてくれた男と交わりながら、「男の太ももにある入れ墨で刻まれた年号を舌でなぞる。こうすれば、忘れずに、すむだろう」という場面も、単なる性交以上の官能性を仄かしている。官能はどろりとして流体的で不定形で曖昧であり、それゆえに流れ出て滲み出て境界を侵犯する。こうした官能の境界侵犯性は、私たちがなじんでいる分節的な視覚優位の世界観をぐらつかせ、混淆的で相互貫入的な感覚を呼び起こし、それ自体視覚的である光の世界を視覚優位の呪縛から解き放つ。官能の境界侵犯性を呼び水として、この小説は見えない光への感応を呼び起こそうとしているのである。

境界侵犯は種の次元にも及ぶ。光の秘密を共有する少女と猫が語るのは、光の過去を現在として生きる未来の女たちと猫の種を超えた物語にほかならない。いや、女と猫だけではない。

相思相愛の猫と犬、マーシャル諸島ビキニ環礁での原爆実験で実験台にされた「三〇三〇匹のラット、一〇九匹のネズミ、五十七匹のモルモット、一七六匹のヤギ、一四十七匹の豚」とその声に耳を澄ます曽おばあちゃん、電気処刑された象のトプシーとその声に耳を澄ますママは、いずれも他種・多種が絡まりあう人間以上（モア・ザン・ヒューマン）の世界に触れている。

自己と他者、現在と過去と未来、此処と彼方、人間と人間ならざるものの境界侵犯に加え、人種（雛だけでなくおそらくママも混血）、家族（雛とパパは血がつながっていない）、ジェンダー（「ひーちゃん」とよばれる雛は「ひーとは英語で彼ですし」と語る）など、小林の境界混濁的想像力は多様な問題域に触れている。『マダム・キュリーと朝食を』は、すらすらとストーリーを追える小説ではないが、すらすら読めるようでは感覚に変化は生じない。この小説は読みながら迷子になったときがチャンスなのだ。迷いながら小林の文学空間を歩きとおすことで、光をめぐる過去という未来に照準を合わせ、感覚が調節されはじめるだろうから。

2　人工親友（AF）がいる日常——カズオ・イシグロ『クララとお日さま』

画面の向こうには何があるのか

二〇一〇年代半ば、子ども向け辞書『Oxford Junior Dictionary』の改訂が作家たちのあいだで話題になった。二〇〇七年以降の改訂で、情報技術（IT）関連語が追加され、代わりに自然環境に関する言葉が削除されたのである。追加された語には、attachment、broadband、blog、chatroom、cut and paste 等があり、削除された語には acorn（どんぐり）、buttercup（金鳳花）、conker（トチの実）、dandelion（タンポポ）、heron（サギ）、newt（イモリ）、weasel（イタチ）などが並ぶ。何を追加し削除するかという判断は、語の使用頻度を基準としておこなわれる。要するに、IT関連語の追加は、画面の前で長時間を過ごす子どもの現実を反映しているということだ。この改訂に対し、マーガレット・アトウッドをはじめとする二八人の作家が抗議した。作家たちは、戸外で過ごす時間の減少と子どもの身体的・精神的問題の相関性が考慮されていないと指摘し、自然関連語の削除は直ちに生命に危険をもたらすものではないものの、権威ある辞書としての責任をもって文化のあり方を考えるよう要請した。

かつて子どもたちは、Aはacorn のA、Bはbuttercup のB、Cはconker のCと口ずさみながら言葉を覚えたが、それがAはattachment、Bはblog、Cはchatroom に変わりつつある。既にお気づきだろうが、attachment、blog、chatroom などIT関連語は日本語に訳さなくてもわかる。これが意味するのは、ITのグローバルな普及によってローカルな文化固有の言葉がなくなりつつあるということなのか。いずれにせよ、辞書にみる自然のITによる置換は、青い地球としてイメージされてきた生物圏（バイオスフィア）から、科学技術や情報システムで覆い尽くされた技術圏（テクノスフィア）へと、私たちの日常が確実に移行したことを物語っている。

サギやイモリのいる環境よりも画面越しの環境のほうがリアリティをもつのは、子どもに限ったことではない。言うまでもないが、画面越しの環境とはスマートフォンやノートPCの画面の向こうを指す。私たちは当たり前のようにスマートフォンやタブレットという言葉を使うけれども、これからみるカズオ・イシグロ（一九五四年―）の小説『クララとお日さま』（二〇二一年）の語り手である人型AIロボットのクララには、そうした電子機器を認知する能力が備わっていない。クララにとってそれらは長方形のモノであり、大小のちがいにかかわらずクララはそれらを一律に「長方形」（英語原文ではoblong、邦訳では「オブロン端末」）とよぶ。道ゆく人は手に持った長方形を操作している、思春期のジョジーは家で長方形の個人指導を受けている、ジョジーの母親はコーヒーを飲みながら長方形に目を落としている、といったクララの語りを追いながら、読み手は長方形をスマートフォンやタブレットに変換して情景を思い浮かべるが、クララの語りには電子機器を指す言葉は一切使われない。電子機器を認識しないクララには、当然画面越しのリアリティというものも存在しないのだ。

科学技術の申し子でありながら科学技術に染め上げられていないクララは、科学技術が浸透した日常を相対化する視点を体現している。そのようなクララを水先案内として、小説の読者は、技術圏において人間であるとはどういうことなのかという問いに向き合うことになる。

AIの記憶にみる他＝多のふるまい

ノーベル文学賞受賞から四年後に出版された『クララとお日さま』で、イシグロは人型AIロボットを語り手として選んだ。いや、ロボットという名称は適切ではない。この小説ではロボットという言葉が使われることはほぼなく、クララやローザやレックスという名前が個別につけられ、集合的名称としてはAF（Artificial Friend 人工親友）が用いられる。AFは、生産された後にAF店に運ばれ、店長の調整によりそれぞれ個性をもつ。来店した子と親に選ばれ購入された後、子どもの幸福のために尽くすのがAFの使命だ。

『クララとお日さま』は六部構成である。第一部はAF店を舞台とし、クララと他のAFや店長とのやりとり、来店する客の態度、店の外の街の様子、ジョジーとの出会いが語られ、第二部からジョジーの家に舞台が移る。ジョジーは、「向上処置」とよばれる遺伝子操作の副作用で病弱だ。向上処置は、それを受けないと大学進学の道が絶たれる一方、ジョジーの姉がそうだったように死に至るリスクがあるというもので、科学技術の両義性を正当なものに見せかける科学技術論的発想と、子どもの社会的成功と健康を天秤にかける現代社会のあり方を考えさせる設定になっている。向上処置に何の疑問ももたない人たち、娘の社会的成功と健康のあいだで揺れるジョジーの母、母の期待に応えようとするジョジー、ジョジーの親友で自力で将来を切り拓こうとするリック、ジョジーの命を守ろうとする父や家政婦、ジョジーが死んでもその身体的複製にAFを搭載することで「ジョジーを継続」できると考える科学技術の盲信者など、何が幸福かをめぐって多様な価値観が錯綜し、それがクララを通して語られる。

幸福のとらえ方は千差万別とはいえ、経済的成功に価値を置くのが時流である。それを反映して、『クララとお日さま』の舞台は、子に向上処置を施す親が大勢を占める社会に設定されている。ラッセルの『幸福論』によれば、競争に勝って成功することを幸福ととらえる見方はアメリカに端を発する。イシグロが小説の舞台をアメリカのどこにでもある街に設定したのは、向上処置↓経済的成功↓幸福という考え方が浸透した社会を前景化するためだったのだろう。と同時に、カウンターカルチャーが席巻するアメリカを旅した経験のあるイシグロは、主流の価値観を相対化するアメリカの文化的モザイクの活力も熟知していたにちがいなく、その証拠に、向上処置をよしとしないニューエイジ風の父親や移民の家政婦を登場させている。

多様な幸福観のせめぎ合いを、イシグロはクララにどのように語らせているのか。人工知能(AI)をもつクララは、即座に認識できないものはボックス分割された像として語る一方、どれだけ長く入り組んだ会話も正確に再現することができる。それゆえ、クララの語りは虚構というよりもAIのリアルな記憶として読めてしまうところがある。また、小説を読んでいると作者の影がちらつくことがあるが、『クララとお日さま』ではそう感じることがあまりない。もちろんすべて作家の創作なのだが、ずば抜けた記憶力をもつAIロボットを語り手としたことで、イシグロは、幸福をめぐる多様な見解を多様なまま再現する文学空間を創出した。大きな声も小さな声も、そして声にならない態度やふるまいも正確に再現するクララの語りは、幸福をめぐる多声的空間に読者を導く。そこには、人間だけでなく、人間の何気ない言動に一喜一憂するAFも参与しており、後述するようにやさしさや親切さを何よりも重視するクララの反応も示されている。クララが正確に再現する他＝多の声やふるまいは、人間とAFの相互作用の痕跡として読まれるべきものだ。

機械から仲間(コンパニオン)へ

イシグロがロボットという言葉を退けてAFという造語を用いたのは、ロボット観の刷新を意図してのことだろう。ロボットもAFも人間の役に立つためにつくられるという点では同じだが、人間と主従関係にあるロボットとは異なり、AFは人間の親友になることに存在意義がある。人工親友として人間の役に立つとは、人間の意のままに利用されることではない。イシグロは、AFという存在を通して、人間とロボットの共生——人間とロボットが二項対立的にではなく、相互作用において定義されるあり方——を描こうとしているのである。

ロボットとの共生の探究は、近年のロボット研究の動向と合致する。そこに至る流れをざっと概観しよう。まず「ロボット」という言葉はカレル・チャペックが戯曲『ロボット(R・U・R)』(一九二〇年)で用いた造語で、人間よりも安く効率的に労働する人造人間という意味で使われた。チャペックの戯曲で人間に対するロボットの反乱が描かれてから、ロボットによる人間の殲滅(せんめつ)というシナリオが流布するが、アイザック・アシモフの小説『われはロボット』(一九五〇年)で潮目が変わる。アシモフは、「ロボットは人間に危害を加えてはならない」という第一条をはじめとする「ロボット工学三原則」を考案し、人間とロボットの共存という新たなシナリオを提示した。アシモフのロボット工学三原則はロボット研究の現場に浸透し、人間に危害を加えず人間とともに社会をつくるロボットの製作が進んだ。

二一世紀に入り、人型ロボットの開発が勢いづいている。人型ロボットにもいろいろあり、人間のように頭や手足のあるロボットは「ヒューマノイド」とよばれ、ホンダのアシモ、映画『WALL・E』(二〇〇八年)のウォーリーがこれにあたる。人間酷似型ロボットは「アンドロイド」とよばれる(女性の場合はガイノイドとよばれることもある)。映画『ブレードランナー』に登場するレプリカントがそうだし、ショートヘアで浅黒くフランス人みたいと形容されるクラもアンドロイドだ。

便利な生活のためにロボットが作られるのであれば、お掃除ロボットのルンバのようなものでよいわけで、わざわざ人に似せる必要はなさそうだが、ロボット工学者の石黒浩によれば、人間酷似型ロボットの開発には、人間の役に立たせるという工学的目的と、人間の意識や心について調べるという科学的目的があるという。後者に関して石黒はこう説明している。人間とよく似たロボットに人が関わるとき、「その関わり方が人間らしかったとすると、そのロボットには人間らしさの何かが再現されていることになる。すなわち、その人間らしさの秘密はロボットに実装されており、ロボットを分解して中身を見ることによって、人間らしさの秘密を知ることができる」。

石黒のいう人とロボットとの関係は、ロボットを分解の対象と見ている点で人間と機械の二項対立構図を踏襲しているが、そうではないロボット観もある。マサチューセッツ工科大学コンピュータ科学人工知能研究所(CSAIL)でフィールド調査をおこなった人類学者キャスリーン・リチャードソンによれば、人型ロボットと人間の相互関係を通して社会のあり方を探究するCSAILのロボット工学者のあいだでは、人型ロボットが人間の仲間(コンパニオン)とみなされている。CSAILでは人間にとっての脅威というロボット観を払拭するために意図的に子どもの人型ロボットを作り、人間とロボットの関わりを親密性や情愛という点から研究しているそうだ。

こうしたロボット研究における人型ロボット的転回は、ハラウェイの「伴侶種(コンパニオンスピーシーズ)」という考え方――異種が伴侶としてともに生成していくということ――が人型AIロボット製作の現場に根を下ろしつつあるという思いを抱かせる。ロボットの文化表象では、人間と人型ロボットの類縁関係を示唆する動きが既にある。たとえば『WALL・E』ではロボット同士であるウォーリーとイヴの共闘が人間を目覚めさせ地球の新たな一章をひらき、イアン・マキューアンの小説『恋するアダム』(二〇一九年)では人間の生活に深く関わるアンドロイドがアダムとイヴと名づけられていることに、ロボットと人間がともに生きる新たな創世のヴィジョンが見てとれる。

『クララとお日さま』でイシグロは、クララを、その名前の語源であるラテン語のclarus(明るい、輝く)が意味する通り、人間の感情や心の機微を照らす特別な観察力を有するアンドロイドとして登場させ、そのクララの目線から人間と人工親友(AF)の関係を描いた(ちなみに、3章でみた梨木香歩『雪と珊瑚と』の「くらら」も優れた共感的観察力を特徴とする)。ジョジーの幸福のために尽くすクララの行動は、あらかじめプログラムされたものではなく、状況に応じた判断による。クララの行動は周りの人間に影響を及ぼし、クララもまたかれらのふるまいに影響される。クララと周りの人間は、ロボットと人間という二項対立的存在ではなく、ハラウェイのいう伴侶種、あるいはラトゥールのいうアクター――「行為の源ではなく、無数の事物が群がってくる動的な標的」――である。アクター間の相互定義において人間とロボットが入り混じる異種混合を描くことで、イシグロは、人間と機械の二項対立を脱臼させ、両者が絡まりあう人間以上(モア・ザン・ヒューマン)の世界を想像する余白を創出した。エイブラム『感応の呪文』で「人間以上」という造語が使われて以降、人間と人間ならざるものが相互に関わりあう人間以上の世界は生物圏の文脈で論じられてきたが、『クララとお日さま』は、技術圏を人間以上という視座からとらえる道を拓いた。

技術圏のトリックスター

「コンパニオン」という語のルーツは「パンをともにする」を意味するラテン語の *cum panis* にあるが、『クララとお日さま』で人間とＡＦが分かちあうのは、パンではなく「お日さまの栄養」であり、気前よく栄養を注ぐお日さまに象徴される「やさしさ、親切さ」(どちらも原文では kindness)である。小説の肝といえるこの点について論じる前に、クララというＡＦの特異性についてもう少し詳しくみておこう。

モバイル端末を長方形とよぶことにうかがえるように、クララは私たちから見てどこかずれている。また、「汚染」を吐き出し太陽を遮る道路工事用の重機――機体に刻まれた文字からクララはクーティングズ・マシンと名づける――がお日さまを怒らせている原因だと信じて疑わない無垢な存在である。クララのイノセンスは、科学技術に関して無知にみえるが、逆に言えば科学技術に染まっていないということだ。そのようなクララの認識は、自然物と人工物に優劣をつけないということにもあらわれている。たとえば、ドローンの鳥は「本物の鳥」ではないが、クララから見るとそれらは自然の鳥と異なるだけで、対立するものではない。ほかにも、道を覆いかぶさんばかりの並木を見て、かつてAF店にいたときの街のビル群を思い出すなど、クララにとって自然物と人工物は共存関係にある。

科学技術に還元されないクララの認知は、人間とAFの関係にも及ぶ。『クララとお日さま』ではロボットという言葉が使われていないものの、読者は無意識のうちに人間とロボットの関係をAFに当てはめ、AFを機械よばわりしてぞんざいに扱う子どもや大人の様子を特に驚きもせずに読み進めるのではないだろうか。AFであろうと人間であろうと、他者への思いやりに欠ける言動に対して、クララは毅然として抵抗する。クララにとっては「やさしさ、親切さ」が何よりも重要なのだ。献身と服従を差異化するクララは、人間とロボットの優劣関係をかき交ぜ、人間とロボットの関係的存在論へと想像の扉をひらく、いわばトリックスターなのである。

そのクララが特別視するのが太陽である。クララにとって、太陽は必要な人に惜しみなく栄養を注ぐ親切で意思をもった存在であり、そこを汲みとって日本語訳では「お日さま」という語があてられているのだろう。太陽がAFにとって特別な存在であるのはなにも充電に不可欠だからというのではない。人間から見れば「太陽光の吸収」と映るAFの充電を、クララはれている。

「お日さまの栄養をいただく」ことと語る。こうしたクララの言葉遣いにおいて、既に精神と物質を截然と分ける発想がずらされており、トリックスターとしての役回りがさりげなく描かれている。

お日さまの栄養はAFだけでなく人間も元気にするということに、クララはかつてAF店のウィンドーから外を見ていたときに気づいた。たとえば、ビルのかげで「市の作業員が回収し忘れたゴミ袋」のように横たわっていた物乞いの人と犬について、クララはこう語る。

通行人は気づかないようですが、あの人と犬はきっと死んでいると思います。人と犬が互いに抱き合い、助け合おうとしながら一緒に死んだのはよいことでしょう。でも、わたしは悲しくなりました。誰かに気づいてほしいとも、静かでもっといい場所に移してあげてほしいとも思いました。店長さんに言うことも考えましたが、いざお店が閉まり、ウィンドーから出る時間になると、店長さんはくたびれた様子で、何か考え込んでいるふうでもありました。わたしは何も言わないでおくことにしました。

つぎの朝、シャッターが上がると、外はすばらしい日和でした。通りにもビルの内部にもお日さまが射し込み、栄養を注ぎ込んでくれています。昨日、物乞いの人と連れの犬が死んでいた場所はどうなっているだろう、と目をやると、驚いたことにどちらも生き返っているではありませんか。きっと、お日さまが送ってくれている特別の栄養のせいです。それがあの人と犬を助けたのだと思います。物乞いの人はまだ立ち上がっていませんが、騙し戸口に背中を寄りかからせ、笑顔で歩道にすわっています。片方の脚を前に伸ばし、反対の脚を立ててその膝に腕をのせ、空いたほうの手を犬の首に伸ばして、しきりになでています。もちろん犬も無事生き返って、行き交う人をきょろきょろ見ています。どちらもお日さまの栄養を存分に吸収し、刻々と元気になっていくようです。

クララは太陽を、弱った人も動物もAFも治癒する「特別の栄養」を施す慈悲深い存在、つまり親切さの権化ととらえる。そういうクララには、物乞いに無関心な通行人とは対照的に、他者に寄り添って状況を考える感性がある。仕事で疲れた店長を気遣う思慮深さもある。

私たちは無意識のうちに、人工と自然、機械と人間のちがいに優劣のフィルターを被せ、貧富の差を階級のちがいに置き換えるが、クララにはそうした二値的思考が実装されていない。クララが重視するのは、お日さまに象徴されるやさしさや親切さである。やさしさや親切さは、現代社会に最も欠けているものではないだろうか。若い頃から貧困やホームレスの問題に取り組んでいたイシグロにとって、貧者を無視し、地位向上のために他者を蹴落とすような、やさしさに欠ける社会のあり方は、積年の問題であるにちがいない。やさしさや親切さは、数値やデータで表せるものではなく、他者との関係においてはじめて実感される。やさしさや親切さは、肌の色や階級のちがいに関係なく人と人を結ぶ。人間同士だけでなく、人と環境、人とAFを結び、それらがともにある世界を招喚する。

二値的思考が生んだ分断を癒し、やさしさや親切さにもとづく関係の世界を想像するための水先案内として、イシグロはクララというトリックスターを創出した。クララは、科学技術と人間のあいだを行き来して、人間とロボットが相互作用において定義される関係的存在に向かう道筋を示唆している。

ロボットに人間らしさが感じられるとき

無垢なクララは、死んだと思っていた物乞いと犬が太陽の光を浴びて元気になった様子を見て、お日さまの栄養がジョジーを健康にすると確信する。そして、お日さまに願いを聞き入れてもらうために、汚染を吐き出してお日さまの邪魔をするクーティングズ・マシンを壊すことを決意する。お日さまに丁重にお願いするために、そしてクーティングズ・マシンを壊すために、クララはリックやジョジーの父に協力を請うのだが、そこでクララが語る言葉が興味深い。お日さまとの約束は他者に知られると無効になると考えたクララは、計画の内容を明かさないまま、リックや父親に自分を「信じて」ほしい、「信用して」ほしいと言って協力を請うのだ。高い知能をもつＡＩロボットの言うことだから、ということもあるのだろうが、人間がクララを信頼しイノセンスの論理が浸潤するという展開に至って、科学技術論的ロボット観は完全に粉砕する。

クララのいうやさしさや親切さは一面的なものではない。英語原文で kindness を拾ってみるとよくわかる。たとえば、ジョジーの母親にひどいことを言われた後でも、それが娘への愛ゆえだとわかるとクララは母に kindness を感じ、あのクーティングズ・マシンにすら久しぶりに街で目にしたときに something almost like kindness を感じる。クララのいう kindness は、敵か味方か、善か悪か、といった二値的思考を超越しているのである。

先に『ブレードランナー』に言及したが、その原作『アンドロイドは電気羊の夢を見るか？』等で知られるＳＦ作家のフィリップ・Ｋ・ディックは、短篇「人間らしさ」の解説でこう記している。

あなたがどんな姿をしていようと、あなたがどこの星で生まれようと、そんなことは関係ない。問題はあなたがどれほど親切であるかだ。〔……〕(親切という特質は)われわれがどんな姿になろうとも、どこへ行こうとも、どんなものになろうとも、永久に変わらない。

銀河系の古い惑星で絶滅の危機に瀕している異星人が、地球から調査研究に来た男の身体に乗り移って地球に移住するというこの物語で、ディックは、冷酷だった夫の身体にすまう親切でやさしい存在に妻が惹かれてゆく様子を描いた。イシグロの人間と人型ロボットの物語には、その七〇年前にディックが異星人に仮託して示した、「どんな姿をしていようと」やさしさや親切こそが人間らしさの証であるという思想が反響している。

人間らしさがやさしさや親切さにあるのだとすれば、それをなによりも重視するクララはじつに人間らしい存在であり、じっさい『クララとお日さま』には、クララが他のどの登場人物よりも人間らしいと思える場面が少なくない。だからといってクララが人間よりも上位の存在として描かれているわけではない。クララは、人間と会話するとき目の前の相手を三人称でよぶ、という具合に、常に人間との差異を意識させる人型ロボットであり、それ以上でも以下でもない。ソーシャル・ロボットを研究している岡田美智男の言葉を借りれば、クララと人間は

「対峙し合う関係」ではなく「並ぶ関係」にある。子どもの幸福をめぐって人間とAFが相互に関わり調整しあい、やさしさや親切を軸に関係を築いていくイシグロの物語は、人間によるロボットの支配という従来の見方を解体し、技術圏をやさしさやケアでつながる異種混淆的世界として想像する通路を拓いている。

3　惑星規模の思考へ　――多和田葉子とリチャード・パワーズ

人間による、人知を超えた、ありふれた危機

放射性物質は私たちの日常をとりまいている。私たちは放射性物質を回避し廃棄しようとするけれども、現実にはそれは、人間の感覚に引っかからないが注意を要する「ハイパーオブジェクト」(モートン)にほかならない。二酸化炭素やメタンなどの温室効果ガスについても同じことがいえる。経済成長の舞台裏で、化石燃料や鉱物の採掘、森林伐採、農林水産業の工業化が進んだ結果、温室効果ガスの大気中濃度が増加したが、これもまた目に見えず匂いもなく、感覚をすり抜ける。

私たちの感覚は、人間の活動が引き起こした地球環境の変化に追いついていない。ここで、

「腑に落ちる(make sense)」物語は「感覚を活性化する(enliven the senses)」というエイブラムの言葉を思い起こそう。人新世的状況に実感をもって向き合うには、感覚の再調整が必要であり、物語がその手助けとなる。本節では、人新世の地球に感覚を絡ませる文学的試みとして、多和田葉子(一九六〇年―)の中編小説「献灯使」(二〇一四年)とリチャード・パワーズ(一九五七年―)の長編小説『オーバーストーリー』(二〇一八年)を取り上げたい。「献灯使」は英訳が全米図書賞(翻訳文学部門)を、『オーバーストーリー』はピューリッツァー賞を受賞し、いずれも高く評価されている作品だ。

「献灯使」の舞台は、「地球が還元不可能なところまで汚染され」た近未来の日本である。そこでは、汚染の激しい都市部が廃れ、市場経済が破綻し、政府は民営化され、鎖国がおこなわれている。汚染が引き起こした「進化」によって老人は死ねなくなり、子どもはひな鳥のような肢体をもつ。汚染の正体は明らかにされていない。福島第一原発事故に対する多和田の並々ならぬ反応や、この小説が「震災後文学」(木村)の代表的作品に位置付けられている研究動向からみて、「献灯使」で言及される汚染が放射能汚染であることは薄々感じられるものの、「放射能」や「放射性物質」という言葉は作中で一切使われていない。どこにいようと汚染物質がハイパーオブジェクトとして日常を取りまいている地球が、この物語の舞台なのだ。

『オーバーストーリー』は、気候変動が深刻化するアメリカ合衆国を舞台とする。焦点は樹木で、森林を資源としてしかみない企業、その下で働き生計を立てている人たち、樹木を代弁する人たちのもつれあいが、ミステリー仕掛けで描かれる。そうした人間のドラマに樹木の「緑色の世界の思考」が関与する。植物の知性をめぐる近年の研究を参照しながら、パワーズはこの小説で、樹木を意識をもち思考する「異質な行為体（エイリアン・エージェント）」として描き、人間と人間ならざるものの相互交流の回復によって拓かれうる惑星の未来に想像力を伸ばしている。

人間が引き起こした人知を超える地球の変化に実感レベルで向き合う文学的試みとして、「献灯使」と『オーバーストーリー』をみていこう。

地球に同調する子どもたち

「献灯使」では、子どもに地球の姿が重ねあわせられている。主人公の「無名」と名付けられた子どもは、歯医者で口を開け「喉の奥に地球があるよ」と言い、小児科で薄い胸板を突き出して「この胸の中に地球があるよ」と屈託がない。生まれつき体力のない無名は、食べるのも着替えるのも一苦労だが、嘆いたり苦しんだりせず、あっけらかんとしている。乳歯が「石榴（ざくろ）のようにぼろぼろ取れて口のまわりに血がついて」も動揺することなく、検診した歯医者に「僕の歯にやさしくしてくれてありがとう」と明るく礼を述べる。何を食べても喉につかえたり胸が焼けたりするが、それは「義郎が知っているような「なぜ自分だけがこんなにつらい思いをしなければならないのか」という泣き言を伴わない純粋な痛み」だと語られる。義郎の慣習的思考に不意打ちを喰らわせる無名の反応は邪気がない。学校に通う年齢になっても「乳児のように甘い匂い」を発し続けている無名は、人の心を溶かす純粋さを体現しているのである。「献灯使」で描かれる「健康という言葉の似合う子供のいなくなった世の中」は、無名のあどけなさに象徴されるような不思議な明るさをもつ。「余分な力なんか一滴もない」と自覚する子どもたちに瀕死の地球をオーバーラップさせながら、多和田は、かれらの新種の感覚を、人新世を生きるための「新種の知恵」として描く。

曾祖父の義郎にとって、無名は、百年親しんできた思考に変異をもたらす触媒だ。少しでも汚染されていないものを曾孫に食べさせたい義郎は、食料の調達や調理に余念がないが、料理がうまくいかず、「ごめん、まずいね」と謝ったとき、無名は「不思議そうな顔をして」、「まずいとか、美味しいとかあんまり気にしないんだ、僕たち」とこたえる。曾孫の意表を突く反応は、次のように義郎に自省と気づきをもたらす。

義郎は自分の浅はかさを思わぬ方角から指摘され、恥ずかしさに息がつまった。若い人に批判されると腹を立てる老人が多いが、義郎は無名には全く腹がたたなかった。むしろ自分たち老人が自覚なしに若い人たちを頻繁に傷つけていると思うと胸が痛んだ。「これはおいしい」とか「これはまずい」とかそんなことばかり言って、まるでグルメは階級が上なのだというような高慢さで、みんなが同じように腰まで浸かっている問題沼を忘れようとする大人の姿は、子供の目にはどんな風に映っているのだろう。毒素には味のしないものがたくさんあるのだから、いくら味覚を研ぎ澄ましても命を守ることはできない。

「おいしい」「まずい」といった概念の押し付けは、現実問題に対する鈍感さの裏返しにほかならないという義郎の気づきに、安全／危険といった概念を振りかざして地球環境問題を論じる現状に対する作家の批評眼が見てとれる。最後の一文は、ハイパーオブジェクトがとりまく人新世的状況を表現しており、次のように敷衍することができるだろう。有毒な汚染物質は五感に引っかからず、慣習的思考をすり抜ける。だから、議論を洗練するだけでは命を守ることはできない、と。命を守るには、感覚を再調整しなければならないのである。

「苦しい」という言葉も、「おいしい」「まずい」という言葉も意味を成さず、身体の中に地球があると屈託のない無名は、分節化された世界を再調整した先の、新たな世界制作を予感させる。脱分節化は、言葉の魔術師とよばれる多和田の得意とするところで、本作品でも、鎖国で外来語が禁止されていることから空港のターミナルが「民なる」に代わり、インターネットがなくなった日を「御婦裸淫の日」として祝うという具合に、軽やかに言語感覚を攪乱する手腕が発揮されている。そのようにして外堀を埋めながら、汚染がありふれた日常となった人新世の地球に向き合うための本丸として、多和田は無名という人物を創出した。

まるい地球の曲線に沿って考える

地球に同調する無名は「新しい文明」を予感させる存在だ。無名と義郎がそれぞれ新しい文明と現代文明を象徴しているとすれば、東京の「仮設住宅」での二人の暮らしは文明の移行実験と解釈できなくもない。電気のある生活で「ビリビリ病」にかかって心身を病む人が続出した東京では、家電が敬遠され、「雑巾や箒で簡単に掃除できるように工夫して」仮設住宅が建てられ、簡素で風通しのよい仮設住宅での暮らしが「全国の生活スタイルの先端を行く模範となっていった」と語られるのだが、これは昔の生活に戻ることを意味するのではなく、たとえば自宅で洗えない衣服は「栗人具」屋が取りにくるという具合に、身の丈にあった脱成長社会

（3章参照）を連想させるものだ。

そもそも経済的後進地域となった東京を舞台とするという物語の設定が、多和田の一筋縄ではない文明観を反映している。義郎の娘は早々に東京を出て無農薬学を学び、沖縄で果物の栽培に専念しているのだが、義郎の目には娘が「果樹園という名前の工場」で働いていると映る、とか、東京は経済的には貧しくなったが「ふちふちと泡のように小さな新しい店が水面に花開くし、ベンチにすわって通行人を眺めているだけでも飽きない」という日常の楽しさがある、と語られるなど、多和田の現代文明批判には自然回帰に対する批判的距離が確保されている。

さらに、この小説にはタンポポと菊への言及が何度かみられる。野の花の巨大化現象で花びらが一〇センチになったタンポポが菊として認められるかどうかという「菊タンポポ論争」や、学校のカラフルで楽しい男女共同の「厠」（鎖国中なので「トイレ」という語は禁止されている）で子どもたちが「壁画の花壇に咲いた菊の花におしっこをかける」といった描写は、菊が日本の国家的象徴であることを考えると、近代国民国家のイデオロギーとしての「文明」をユーモアを交えつつ鋭く批判していると読める。とはいえ、多和田は文明論を振りかざしてはいないし、作品の結末を読めば、文明の転換が楽観視されていないことは明らかだ。

作品の題名でもある「献灯使」は、海外への人物派遣という点で遣唐使と共通するが、その目的は政治的なものではなく、「まるい地球の曲線に沿って」未来を考えるのにふさわしい子どもを海外に送り出し、来るべき未来のために研究してもらうというものである。市民ネットワークによって献灯使の選定が行われ、無名に白羽の矢が当たる。無名は、「まるい地球の曲線に沿って考える」ことを最もよく体現しているのだ。

「まるい地球の曲線に沿って考える」とはどういうことか。無名をはじめとする子どもたちは、「ライオンの子がじゃれあって巨大なサバンナで生きる身体をつくるように」「お互いの身体に触れあって地球の勉強をしている」が、地球への同調力をもたない義郎をはじめ大人たちはどうなのか。それを考えるヒントが、義郎のオレンジとの格闘にある。曾孫に生きていてほしいという一心で食事を作る義郎は、とくにオレンジにこだわる。橙色の汁は「血でも涙でもなく」、ほとばしる生命そのものだ。球体で厚い皮に覆われたオレンジは、地球のミニチュアのようでもある。英語版の表紙に、玉乗り曲芸師さながらオレンジの上でバランスをとる少年のイラストがあるが、あれはオレンジを地球に見立てているのだろう。

皮を剝いたオレンジを食べるのは、無名にとって大変時間がかかる。学校に遅刻しないよう、義郎はジュースを作る。「ジュースならば十五分くらいあれば飲める。」とは言うものの「飲む」という行為も無名にとっては楽ではない。無名は黒目を回転させながら喉のエレベーターを必死で上下させ、液体が下へ送り込まれていくように努力する」。ジュースが逆流してひどく咳き込むこともあるが、「咳が出れば咳をし、食べ物が食道を上昇してくれば吐くというだけだった」という具合に、無名の反応は即物的だ。オレンジだけでなく、レモンもほうれん草もしいたけも無名に「純粋な痛み」をもたらすが、それが自己憐憫と無縁であることは先に指摘した通りである。自分を可哀想だと思うことも誰かを責めることもなく、共感力と言語能力に優れ、孤独に耐え、人の心を溶かすような生の純粋さを体現する無名に、人間に負荷をかけられても気前よく与え続けてきた地球の姿が重ねあわせられている。

さて、義郎がオレンジと格闘する場面をみてみよう。

果物の密な繊維に守られた奥深い空間から尊い滴を見つけ出してきて無名に与えるという使命感に義郎は武者震いする。ふてぶてしいオレンジのツラの皮よ、その下で果房を更に包むしぶとい柑橘貴族の白い手袋よ、そしてそのまた中で水分を外に漏らすまいと自閉する淫房よ。包みが何重にも邪魔するから我が愛する曾孫が果汁の甘さを満喫できないのだ。

義郎はオレンジを敵視しているように見えるが、じっさいのところ、果汁を余さず搾るために外果皮（「ふてぶてしいオレンジのツラの皮」）、内果皮（「柑橘貴族の白い手袋」）、内皮（「自閉する淫房」）といった何重もの包みと真剣に向き合っている。諧謔（かいぎゃく）的に語られているものの、義郎にとってオレンジは彼を本気にさせる行為体（エージェント）にほかならない。

オレンジとの格闘は義郎の感覚を活性化する。そもそも調理は、手に取って触り、見て切って搾って匂いを嗅いで、と感覚をフル稼働させる行為である。曾孫を守るという「使命」としてオレンジジュースをつくる義郎にとって、オレンジは敵ではなく、将来世代の生存のために学ばなければならない相手なのだ。義郎のオレンジとの格闘は、地球を直に学ぶことの隠喩でもある。

体力を奪われても屈託のない子どもたちに地球の姿を重ねる「献灯使」は、曾孫世代に接して学び直す老人を通して、激変する地球に向き合うとはどういうことかを考えさせる作品だ。無名と義郎――新しい文明と現代文明――の物語を読み終わったとき、「子孫に財産や知恵を与えてやろうなどというのは自分の傲慢にすぎなかった〔……〕。今できることは、曾孫といっしょに生きることだけだった」。そのためにはしなやかな頭と身体が必要だ」という義郎の気づきは、読者自身の気づきとなるだろう。

無名の意表を突く反応に接して感覚を再調整する義郎は、曾孫に導かれて新たな世界制作に足を踏み入れている。曾孫世代は、「子供が死んでも大人は生きていけるけれど、大人が死んだら子供は生きていけないよ」と、天衣無縫に核心を突く。無名と義郎の共生の物語は、一〇〇年余りのあいだにこびりついた思考の垢を落とし、変わり果てた地球に向き合うことによってしか生き延びることのできない、私たちの物語でもある。

いつまでも地球のお客さん気分でいちゃいけない

人新世の地球は私たちの見知らぬ地球であると本書で述べてきたが、そもそも私たちは地球とどのように付き合ってきたのだろうか。資源搾取によって成り立つ便利な生活を当たり前のように享受してきたのではないか。

パワーズは『オーバーストーリー』で登場人物の一人にこう言わせている。「あたしたちは地球上で、いつまでもお客さん気分でいちゃいけない。ここで生きていかないと。もう一度、ここに棲みつかないといけない」。お客さん気分で接してきた地球とは、比較文学研究者ガヤトリ・スピヴァクのいう「地球(グローブ)」、すなわち「わたしたちがそれをコントロールすることをもくろむことができるかのように、わたしたちに想わせる」、資本主義的グローバリゼーションの舞台としての地球である。そこに「もう一度棲みつくこと(to become indigenous again)」は、技術圏において地球を学び直すこと——スピヴァクの言葉で言えば「地球（グローブ）」への「惑星（プラネット）」の重ね書き——を意味する。

地球のお客さんでいられるのは市場経済においてである。地球の住人は、3章でみた水俣の漁師・緒方正人がそうであるように、自然の贈与に対して感謝の気持ちと応答責任をもつ。地球の住人とお客さんの違いは、そうした贈与の感覚の有無にあり、パワーズは「地球のお客さん気分」でいることを批判した登場人物にこうも言わせている。「あたしたちはどの木も切ったら駄目だと言っているわけじゃない〔……〕。あたしたちが言ってるのは、まるで当然の権利みたいに木を切るんじゃなくて、贈り物を受け取るみたいな態度でそうしてほしいってこと」。技術圏において贈与の感覚が腑に落ちるような物語をパワーズは語ろうとしているのだ。

『オーバーストーリー』は、根、幹、樹冠、種子、という四部から成る。「根」の章タイトルには九人（うち二人はカップル）の登場人物の名前が記されており、各人の行動が全編を通して語られることから、この九人を中心とした物語のように思えるかもしれない。しかし、根、幹、樹冠、種子という部のタイトルは、物語の展開の比喩だけでなく樹木そのものを表してもおり、したがって目次には、樹木もこの小説のメインキャラクターとして示されていると言える。互いに面識のなかった登場人物たちは、樹木に招喚されるようにして直接的、間接的に関わりあいを深め、古木伐採に対する抵抗活動、脱人間中心主義的な新しい森林学の提唱、世界支配ではなく世界育成のゲーム開発といったかたちで、樹木と地続きの生――地球の住人であること――を体現する。『オーバーストーリー』は、そうした人と樹木の絡まりあいを多面的に描いた物語である。

登場する数多の樹木のなかでも存在感を放つのが、イチョウ(メインデンヘアー)、ダグラス・ファー、桑の木(マルベリー)、カエデ(メープル)、アメリカグリ、レッドウッドで、前者四つは樹木伐採抵抗活動をおこなう登場人物の森林名(フォレスト・ネーム)でもあり、各人物の個人史と深く関わる樹木である。パワーズは、樹木を人間の時間を優に超える地球の時間(ディープタイム)を体現するものとして登場させる一方で、それぞれの樹木に登場人物との目に見えないつながりというレイヤーを被せており、そうした工夫に、人間の時間・空間と樹木の時間・空間の相互貫入的界面を描き出そうとする作家の試みが見てとれる。

樹木がメインキャラクターだといっても、それらが言葉を話すというふうには物語は展開しない。そんなことをしてもふざけたファンタジーと思われるのがオチで、真剣な小説(シリアス・フィクション)とはみなされないからである。しかし、ここで問うてみたいのだが、樹木が話すということが非現実的とみなされるのだとしたら、それはどのような思考にもとづくのか。人間ならざるものがプロットで重要な役割を果たす小説をリアルに感じられないのだとすれば、それはなぜなのか。

作家アミタヴ・ゴーシュが『大いなる錯乱――気候変動と〈思考しえぬもの〉』(二〇一六年)で論じるところによれば、ここ二〇〇年ほどの西洋の小説は、連続する時間と空間から愛や死や冒険や葛藤をめぐるブルジョワ的日常を切り取り、人間のドラマが展開する舞台以外のもの――すなわち人間ならざるもの――を排斥した。逆に言えば、そうした小説の慣習が確立する前は、人間の現実が、人間ならざるものの諸力の網の目においてとらえられていたのである。パワーズもインタビューや対談で、『オーバーストーリー』で人間ならざるものを主要キャラクターに据えたのは革新的なことではなく、人類の誕生以来、文明の中核を占めていたものへの回帰にすぎないと述べている。

近代小説が排斥した人間ならざるものとの地続きの感覚は、先住民文学、神話、児童文学、ネイチャーライティングに息づいている。『オーバーストーリー』にはそうした小説以外の文学への言及が多い。なかでもオイディウス『変身物語』の「あなたに語って聞かせよう。人が他のものに変身する物語を」という一節は、作品全体を通してリフレインされる。神話や古典を下敷きにしたソローの『森の生活』(1章参照)も要所要所で言及され、児童文学でよく知られるシェル・シルヴァスタイン『おおきな木』(一九六四年)やドクター・スース『ロラックス』(一九七一年)を彷彿させる箇所も少なくない。そして、レオポルド『野生のうたが聞こえる』(1章参照）、先住民ポタワトミ族の人間以上（モア・ザン・ヒューマン）の文化をめぐるロビン・ウォール・キマラー『植物と叡智の守り人』（二〇一三年）といったネイチャーライティングが、この小説の骨格を形成している。

近代以降、地球のお客さん目線で書かれてきた小説を、人間と人間ならざるものが同じ地球の住人である物語世界へと戻すパワーズの試みは、単なる過去回帰ではない。むしろ現実主義的である。この小説では樹木伐採抵抗活動がことごとく失敗に終わるが、まさにそうした展開に、環境をめぐる大義や正義が通用しない「地球（グローブ）」の現実が映し出されている。理想を振りかざした現代批判に走らず、現実を多角的にとらえて地球の住人になることに想像力をのばす『オーバーストーリー』は、人新世リアリズム小説とよぶにふさわしい作品だ。

活動的な静寂、あるいは人間の擬樹化

人間と樹木が地続きであるという感覚は、人間ならざる一木一草にも生魂（アニマ）を認めるアニミズムと親和性がある。人間の言語を人間以上（モア・ザン・ヒューマン）のコミュニケーションの一部とみなすアニミズム的主体の感覚が共有されている文化には、環境破壊は存在しない（マニス）。森林学者、アーティスト、女子大生転じて預言者、心理学者、エンジニア、弁護士、天才ゲーム開発者といっ

た多彩な登場人物を通して行為体（エージェント）としての樹木を描く『オーバーストーリー』は、技術圏にアニミズム的主体を回復する文学的試みだと言える。

この小説でパワーズは、人間以上（モア・ザン・ヒューマン）のコミュニケーションに、静寂（サイレンス）という表現を与えている。サイレンスといっても、人間だけが言葉をもつという立場から言うのではない。それとは対照的に、他種・多種の気配や意味に満ちた〈活動的な静寂〉なのである。最もわかりやすいのが森林学者パトリシア・ウェスターフォードに関する描写で、彼女は生まれつき耳と言葉が不自由である一方、人間の可聴域外の樹木の「言葉以前の言葉」を聴きとることができるという設定である。パトリシアは〈活動的な静寂〉を新しい森林学として本に著し、彼女の著書に触れた登場人物たちがそれぞれ樹木とのコミュニケーションを深める。樹木との相互交流が人間の言葉を要しないということは、脳卒中で発話機能を失う弁護士レイ・ブリンクマンを通しても描かれる。

一般的な見方ではパトリシアとレイは言語障害とみなされるが、パワーズは人間界における言葉の不自由さを逆手にとり、かれらを樹木化する人間として描く。樹木の擬人化ならぬ人間の擬樹化という技法で、人間ならざるものの行為主体性を表現することを試みているのである。擬樹化は身体的次元にも及び、パワーズは、寝たきりのレイや半身不随のニーレイを、身体障害というよりも、身体の樹木化というかたちで、後述するメタモルフォーゼを体現する人物として描く。

擬樹化は人間中心主義的言語観にアニミズム的主体を絡ませる作家の工夫と言えるが、別のかたちで活動的な静寂を体現しているのがニコラス・ホール（邦訳ではホーエル）という登場人物である。彼は「見張り人（ウォッチマン）」という森林名（フォレスト・ネーム）の通り、胴枯病が猛威を振るうなか奇跡的に生き残った一本のアメリカグリの木を何年も一人で見守り、活動家仲間を最後まで見守る、静寂の人として描かれる。優れた観察眼と芸術的表現力により、ニコラスは樹木とのコミュニケーションをアートに翻訳する。パトリシアとレイはそれぞれ森林学と法学の立場から樹木を代弁し、ニコラスは、彼の話で小説が始まり終わることに象徴されるように、人間と樹木が地続きである世界を観察し、見守り、未来に伝えるという役どころだ。ファミリーネームのHoelが、穴を意味する――ひいては地下をイメージさせる――Holeを連想させ、さらにHoleがWhole（全体という意味）と同音であることから、ニコラスは、目には見えないが耳を傾ければ感じとることのできる、大いなる生の連鎖――これには地下の生の網の目も含まれる――を見守る人として造形されているとも言えよう。森林学者スザンヌ・シマードによれば、大地に根を下ろした樹木は地下にはりめぐらされた菌糸のネットワークでつながり、炭素や窒素をやりとりし、害虫の発生などの情報を伝達している。地下にはワールド・ワイド・ウェブ（world wide web）ならぬウッド・ワイド・ウェブ（wood wide web）が存在しているのだ。そうした樹木のコミュニケーションも、活動的な静寂の一部を成す。『オーバーストーリー』には、見た目ではわからない分岐の世界を言葉で表す小説家の意匠が凝らされているのである。

人間と樹木の相互交流とウッド・ワイド・ウェブがもつれあうかたちで展開する『オーバーストーリー』は、生の連続性――エマヌエーレ・コッチャのいう「メタモルフォーゼ」――の物語にほかならない。メタモルフォーゼは、「変身」と訳してしまうと戯画化されたイメージがつきまとうが、そういうことではなく、「何百万年も前より、身体から身体へ、個から個へ、種から種へ、界から界へと受け継がれている」「同じ一つの生」の形態配置（コッチャ）を指す。「裏庭にある木とあなたは共通の祖先を持っている。十五億年前、あなた方は袂(たもと)を分かった。しかし、別々の方向へはるばる旅してきた今でも、木とあなたは遺伝子の四分の一を共有している……」というパトリシアの本の一節が繰り返し小説で示されるのも、生の連続性としてのメタモルフォーゼを強調してのことだろう。生の連続性は、枯死した樹木や倒木が他種・多種の生を育むように、死をそのうちに含む。『オーバーストーリー』では主役級の人間や樹木が物語の途中で死んでゆくが、死が生の一部となるメタモルフォーゼの物語では、個体の死は生の終わりを意味しない。

メタモルフォーゼが最も意表を突くかたちで語られるのが、レイとドロシー夫妻の再野生化した庭に、知らぬ間に育っていた樹木をめぐる箇所だ。放っておいた庭には桑の木（マルベリー）、カエデ（メープル）、ダグラス・ファーが生えており、それらは活動家たちの森林名（フォレスト・ネーム）と同じであることから、読者は、レイたちと面識のない活動家たちが見えないつながりによって夫妻の庭に集まっているかのような感覚をおぼえる。脳卒中で寝たきりのレイは、庭の樹木の同定を日々の楽しみにしているのだが、ある日、夫妻はほぼ絶滅したはずのアメリカグリが庭に育っているのを発見する。パトリシアの本を傍らにして、二人は謎の樹木に思いをめぐらす。書かれていることを咀嚼するのに膨大な時間がかかり、「一ページか二ページ読むだけで、丸一日がかかるかもしれない。〔……〕古い考えが倒れた後に、新しい考えが育つにはそれなりの時間が必要だ」。時間がかかる、時間をかけるという表現が繰り返され、短期的・近視眼的な時間が樹木の長期的時間（ロングタイム）——人新世用語で言えば、地球の悠久の時間（ディープタイム）——に場を譲る。いわば時間の樹木化である。

そしてついに、レイは、庭に存在するはずのないアメリカグリの木に、子どもが欲しかったけれど授からなかった自分たちに存在したかもしれない娘——子どもが生まれたら木を植えようと夫妻はかつて話していた——を幻視した。樹木と人間のメタモルフォーゼは、存在したかもしれない娘が、森の預言者に生まれ変わる前の自由闊達な女子大生時代のオリヴィアを連想させるという展開に至って、読者の想像をさらに促す。また、再野生化した庭に育つアメリカグリは、ホール家の枯死しつつあったアメリカグリの生まれ変わりかもしれない、という思いも抱かせる。意味や気配に満ちた活動的な静寂のなかで、分岐を続けるメタモルフォーゼ的な生の舞台が整うのである。

技術圏で森の身になって考える

樹木が意識を有し思索するということが腑に落ちるような物語空間の創出は、活動的な静寂にのみ依拠しているわけではない。パワーズは、「緑色の世界の思考」、「緑色の猛烈な思索」、「森の脳」といった言葉を作中に散りばめ、パトリシアに「樹木の立場から考え」させ、ゲーム開発者ニーレイに「超知能(ラーナー)たちは川や森や山のように思考し始める」と語らせるかたちで、人間ならざるものの行為主体性に表現を与えようとしている。「川や森や山のように思考する」という表現は、1章でみたレオポルドの「山の身になって考える」を彷彿させる(レオポルドの「山の身になって考える」も、パワーズの「山のように思考する」も、英語原文ではともに think like a mountain/mountains である)。とはいえ、レオポルドが観察し思索した二〇世紀前半と二一世紀の現在では、状況がちがい過ぎる。「山を見てると、こんなふうに思うことがあるだろ。**文明はいつか滅ぶけど、山は永遠に残るんだ**とか。ところが実際は、文明は成長ホルモンを射った牛みたいに鼻息荒くぐんぐん成長して、山の方は死にかけてる」と登場人物の一人に語らせているように、「山の身になって考える」という考えを素朴に喚起するだけでは地球のお客さん気分を揺さぶることはできない。

そこでパワーズが投入したのが天才ゲーム開発者ニーレイである。彼は、スタンフォード大学の中庭で遭遇した「ドクター・スース的怪物」(絵本『ロラックス』の奇怪な樹木を指すのだろう)ような植物から「緑色の猛烈な思索が彼を手招きする」のを感じ、それが「破滅へ向かう惑星を救う樹木の力」であることをパトリシアの『森の秘密』を読んで確信する。以来、人間が世界を消費するゲームではなく、人間ならざるものとともにある世界を育てるゲームの開発にとり憑かれる。人気絶頂の世界征服ゲームを放棄し方向転換するニーレイは部下から総スカンを食うが、樹木とメタモルフォーゼした天才はあらん限りの知識と技術を駆使してゲーム開発を軌道に乗せる。それは、「世界がどれだけの負荷に耐えられるか、生命が本当はどうつながり合っているか、ゲームを続けるのと引き換えにプレーヤーに何が求められるか」を探究させる、「自分じゃなくて世界を育てるゲーム」だ。さしあたりプレーヤーは人間ではなく、地球を隅々まで学習するマスター・アルゴリズム、「超知能（ラーナー）」である。「途方もなく多様な超知能（ラーナー）たちは折り紙で作った鳥のように飛び立ち、データ空間に群がる。その一部はしばらくの間、繁殖した後、消えていく。正しい要素を含んだものは増殖し、数を増やす」。そして――

あらゆる高度のさまざまな生物群系（バイオーム）で、ついに超知能（ラーナー）たちが活気づく。超知能（ラーナー）たちはサンザシが腐らない理由を発見する。そして、百種類のオークの見分け方を学ぶ。いつ、どんな理由でミドリトネリコがシロトネリコから分かれたのか。イチイのうろに何世代の生物が生きているか。ベニカエデがそれぞれの高度でいつ紅葉し始めるのか、そして毎年その時期がどれだけ早まっているのか。超知能（ラーナー）たちは川や森や山のように思考し始める。そして一枚の草の葉がどうやって星の動きを覚えているのかを理解する。短い季節をいくつか経る間に、数十億ページ分のデータを単に比較することによって、次の新しい種（しゅ）が、人間の言語と植物の言語を互いに翻訳することを学習する。初めは子供が適当に言い当てているような大雑把な翻訳。しかし間もなく、最初の文（センテンス）が現れ始め、あらゆる生物と同様に雨と空気と砂利と光でできた単語があふれ出てくる。**こんにちは。やっとだ。はい。いますよ。ここに私たちが。**

人工知能が「川や森や山のように思考する」という発想は、自然を開発し支配する手段として技術をとらえる見方とは対照的である。川や森や山のように思考するということは、生の連続性の一部として自らを認識するというメタモルフォーゼ的思考にほかならない。そうした思考の招喚に、パワーズは人工知能を介在させた。レオポルドによって人間界から生物圏に拡大された共同体概念を、パワーズは技術圏へと広げたのである。ただし、その共同体に人間が存在するか否かは定かではない、と仄めかすかたちで。

人工知能に希望を託し、人間に見切りをつけたかのような展開だが、「放っておいても超知能（ラーナー）たちが修復してくれる世界で暮らすよりも、むしろこちらの世界で地球のリハビリが始まるのを見ていたい」とニーレイに語らせるところに、楽観主義にも悲観主義にも陥らないパワーズの現実主義が見てとれる。その現実感覚は、人類の救済でも人類による地球の救済でもなく、人類の「反自殺」にピントが合わされている。だから、この小説では、パトリシアは種子バンクを軌道に乗せた後、植物由来の毒を飲んで樹木化を完遂し、レイは樹木伐採抵抗活動の正当性を見越して窓外の樹木にメタモルフォーゼし、ニーレイも大いなる生の連鎖に超知能（ラーナー）を放った後、その連鎖の一部となる。

テクノロジーを何のために、どのように使うかは、人間の心にかかっている。マスター・アルゴリズムが「緑色の世界の思考」に共振したニーレイによってつくり出されたように、技術開発の行く末はそれに取り組む人間の思考に左右される。前節の『クララとお日さま』でみたクララの優れた共感力も、店長による「調整」がなければ生まれなかった。技術圏の主体の一部として人間が負う責任は小さくないのである。

人間も人間ならざるものも同じ地球の一員であるような共同体は、この先、実現するのだろうか。それを考えさせるところに物語の力がある。「真に意味を成す物語は感覚を呼び覚ます」というエイブラムの言葉をなぞるかのように、パワーズは登場人物の一人である心理学者のアダムにこう言わせている――「議論がどれほどうまくても、人の心は変えられない。それが可能なのは、よくできた物語だけだ」。

物語の読み方は無限にあり、正しい読みというものはないが、エコクリティシズムの見地からは確実に次のことが言える。それは、地球をめぐる文学の想像力が、現在見えているものとは別の――とはいえけっして空想的ではない――現実に触れているということだ。文学は地球を想像する。そうした文学のさらなる発掘と、地球をめぐる想像力の探求に向けて、エコクリティシズムの挑戦は続く。

終　章

想像力の再調整

気候変動は「正常の終焉(ノーマル)」を招き寄せた（ウォレス・ウェルズ）。私たちが知る「正常」は、地球の歴史において比較的暖かい状態で気温が安定した完新世――最終氷期が終わった約一一七〇〇年前から現在に至る地質年代――を前提とする。二一世紀に入り、世界の平均気温は産業革命前よりも一度以上高くなった。たった一度ではないかと思うかもしれないが、それまで完新世では平均気温がプラスマイナス〇・一度以内に安定していたと知れば、事の重大さがわかるだろう。

平均気温の上昇は、氷床を融かし、海流を変え、ある場所には大型台風や巨大ハリケーンを、別の場所には旱魃(かんばつ)をもたらし、海岸沿いの居住地を水面下に沈め、熱波や洪水を引き起こす。二酸化炭素の排出量が増えれば、その三分の一を吸収する海は酸性化し、海の生態系が破壊される。気温上昇の原因は人間の活動にある。とりわけ一九五〇年以降の経済活動の大加速により、地球システムは大きく変化した。

別の解釈もある。人間の活動が原因となって地球システムが変化したという因果関係ではなく、人間の社会経済活動に地球が反応しているという見方だ。このとき地球は、人間の影響にさらされる受け身の客体ではなく、人間の活動に応答する行為体(エージェント)としてあらわれる。それは、宇宙空間から撮影された青い地球ではなく、飛行機でどんな場所にでも行ける地球でもなく、グーグルアースで探索できる地球でもない。地球という行為体は、科学技術とグローバリゼーションがつくり出した地球像とは異質な「惑星」なのである。

惑星(planetarity, the planet)についての議論は、比較文学研究者のガヤトリ・スピヴァクが先鞭をつけた後、ポストコロニアル歴史学者ディペシュ・チャクラバルティ、哲学者で人類学者のブルーノ・ラトゥールがそれぞれ発展的に議論を深めている。エコクリティシズムおよびそれと関連するアメリカ文学研究では、ウルズラ・ハイザ、ワイ・チー・ディモク、ローレンス・ビュエルが惑星という視座を導入した文学研究を先導している。それらを紹介するには紙幅が足りないし、邦訳や日本語の関連論文があるのでここでは立ち入らないが、いずれも「正常(ノーマル)の終焉」が告げられた人新世的状況における想像力の再調整を前景化しているということだけ記しておきたい。

正常なき地球環境に向き合う上で、文学にみる環境的想像力を研究するエコクリティシズムの役割は小さくない。「気候の危機は文化の危機でもあり、すなわち想像力の危機である」というゴーシュの見解は、人新世的状況をめぐる議論でよく参照されるが、エコクリティシズムの見地からすれば既視感がある。本書で何度か言及したように、エコクリティシズムでは、環境の危機は想像力の危機であるという見解がかねてより共有されている。また、ラトゥールは、「陸や水からなるグローブ(地球)は人間行為にどのように応答してきたのか。近代化プロジェクトは、それを予測するのを二世紀のあいだ「忘れていた」。そんなプロジェクトを「現実主義的」と呼べるだろうか」と述べているが、これは、その約三〇年前に、本書冒頭で言及したロペスが述べたこと――新世界に到着した入植者は、土地に自らの欲望を押しつけるだけで、その応答に耳を傾けはしなかった――と明確に呼応している。

このことから導き出せるのは、環境文学やエコクリティシズムが、地球を想像する道標になるということだ。本書で環境文学やエコクリティシズムが拓いてきた道をたどりながら、人間の活動が変えてきた地球に文学がどのように応答しているのかをみてきた今、そう強く主張したい。

危機とともに生きるために

進歩史観、言い換えれば進歩の物語では、これまで「正常」であるとされてきた環境ががらりと変わる人新世的状況が、近代文明の終末として語られる。だが視点を変えれば、正常の終焉は進歩史観に代わる未来や物語を想像するチャンスでもある。私たちは「暗い人新世」と「明るい人新世」(奥野)の岐路に立っているのだ。

線的時間にもとづく進歩の物語では、未来は今よりも先にあると信じられてきた。だから前ばかり向いてきた。新たな物語では、前も後ろも、右も左も、上も下も、全方位に注意を向けて未来を想像することが求められる。これは何も新しいことではない。「先住民にとって、気候不公正は新たな未来に対する不安の種というよりも既視感のある経験だ」(Whyte)といわれるように、自らをとりまく世界に注意を向け、変化に対応してきた人たちは世界各地に存在する。もちろん過去にもいた。石牟礼や緒方が語る漁民も、バージャーが描く農夫も、「進歩の文化」とは異なる「生存の文化」(1章参照)を体現している。そういう人びとの生き方は、新しい物語を想像する手助けになる。

危機とともに生きる〈新たな生存の文化〉への希望は、「まえがき」で述べたように、進歩の物語が綻びた後に生まれた世代にも見てとれるのではないか。実体験だけでなく読書体験からも、そのような思いを抱く。たとえば4章でみたように、「地球が還元不可能なところまで汚染され」た世界を描いた多和田の小説「献灯使」は、脆く見えはするものの溌剌とした子どもたちに地球の身体を重ね、「まるい地球の曲線に沿って考える」という「新しい文明」のありかたを示している。経済成長とは無縁の日常をデフォルトとする無名らには、進歩の文化における正常さは意味を成さない。ソローが言うように、「子供というものはみな、ある程度までは人類の歴史をはじめからやりなおしている」のであり、そうした子どもたちが体現する「新種の知恵」に多和田は新たな物語への足掛かりを見てとっている。

将来世代に新たな文明の希望をみる視点は、ウィリアムスの『大地の時間』(2章参照)にもうかがえる。ユタ大学環境人文学プログラムの設置に関わるなど教育にも熱心なこの作家は、気候危機の影響を受ける若い世代の当事者意識に接し、次のように記している。

ダーウィンが想像しえたよりも早く私たちは進化しています。未来の子供たちは両目の間が広くなり、餌食(prey)である種(しゅ)、祈る(pray)種に近づいていくことでしょう。どちらにしても、祈りといった周辺視野を発達させることは、私たちの種にとって有利です。私たちが言葉尻だけでなくもっと人の話にしっかりと耳を傾けるようになるにつれて、私たちの目も徐々に耳のほうへと移行してゆくことでしょう。ある子供がかつて私に描いてくれた絵ではフクロウが夜に翼を広げていましたが、その翼は耳でした。世界は変わる。私たちも変わる。

将来世代が「餌食である種」だとすれば、自らの欲望を押しつけて自然・環境を搾取してきたこれまでの世代は捕食動物にほかならない。prey と pray という同音異義語を巧みに用い、ウィリアムスは、餌食であることに弱さではなく、祈りや希望を重ねる。こうした見方は、「献灯使」の無名や『オーバーストーリー』のニーレイ、パワーズの次作『惑う星』(二〇二一年)のロビン、コーマック・マッカーシー『ザ・ロード』(二〇〇六年)の幼い息子などにも当てはまる。いずれも二一世紀に入ってからの作品であり、prey/pray をめぐる文学的想像力が新しいリアリティを予見しているかのようだ。

将来世代に希望を見出すといっても、それはかれらにすべてを委ねるということではない。地球環境問題にせよ他の社会問題にせよ、若い世代にこそ考えてもらいたいという発言を耳にするが、それは問題の丸投げというものだ。「献灯使」の義郎のように、将来世代に耳を傾け、かれらとともに考え、進歩の物語を信じてきた者たち自身が変わることによって、危機的な地球システムに応答する手がかりをつかむことができる。無名が言うように「大人が死んだら子供は生きていけない」し、社会を動かしているのは大人たちである。全方位に意識を向けて、人間、環境、そして両者の関係を想像し直すためには、世代を超えた協働が必要だ。そこに文学は加勢する。

文学が何の役に立つのかと公然と問われる現在、地球環境問題に関して文学に何ができるのか？と怪訝に思う向きもあるだろう。覚えている方も多いと思うが、東日本大震災後、石牟礼道子『苦海浄土』が一種のブームになった。これまでの常識が大地震で瓦解し、思考と言葉が津波に流された二〇一一年、多くの人が『苦海浄土』に引き寄せられていったのである。このことに例証されるように、文学は、想定外の現実に向き合う足場となる。「すべての小説は、すでに起きていながら多くの人の目に見えていないことを時空をずらして可視化する装置なのだ」と鴻巣友季子が『文学は予言する』で述べているが、小説に限らず、文学的想像力は必ずしも可視化されていない現実に触れており、それゆえ別の現実への対応力を鍛えている。これは地球環境に向き合う場合にも言えることだ。

地球、そしてそこに生きる私たちの未来は、予測不可能な闇のなかにあるが、本書で論じた作品をはじめとする環境文学の数々は、そうした闇のそこここを照らすかがり火となる。危機を制圧するでも乗り越えるでもなく、危機とともに生きていくしかない今だからこそ、環境文学を読む意味がある。

あとがき

かつて、ある有名大学の文学の講義で次のような出来事があったそうだ。教員が教室に入り、教卓で小説を広げて読み始めた。教員は小説を読み耽っており、一向に講義が始まらない。そのうち学生たちは、小説とはそんなにおもしろいものなのかと思い始めた、という話である。おそらく明治大学での小林秀雄に関する逸話ではないかと人伝(ひとづて)に聞いたが、いずれにせよ、現在なら授業を放棄していると批判されかねないこの教員は、身をもって文学のおもしろさを学生に伝えたという意味では、すぐれた文学教師だと言えるだろう。

小説を読み耽る教員を見て学生たちが文学に興味をもったように、本書がきっかけとなって読者がじっさいに文学作品を手に取ってくれたら、という想いが本書執筆中に幾度となく頭をよぎった。読者一人ひとりが自らの腑に落ちる物語に出会えば、そこから先は文学が地球を想像する水先案内になる。口先だけで言っているのではなく、実体験からそう確信している。

この先、地球はどうなるのか。人間社会が地球をどこまで変えるのか。今の若い人たちが私くらいの年齢になったとき、かれらの暮らしはどうなっているのか。環境文学を読みながら、そのようなことをいつも考えている、というか考えざるを得ない。読んでいる作品がこの世の終わりを思わせるものでなくても、やるせなさを感じることが少なくないが、それは裏返せば、現実から目を逸らさずに考え続けなければならないことの自覚である。

自分の幼少期が昔話かと思えるほど環境は激変した。白山麓の僻地で遅れていたからかもしれないが、私が小学生だった一九七〇年代後半は、どこの家でも家族が食べる分くらいは米や野菜をつくり、畑に屎尿(しにょう)由来の肥料を撒いていた。豆腐はボウル持参で角の豆腐屋へ買いに行き、卵は近所の小さな鶏舎で買った。魚屋で買った魚は新聞紙に包まれていたし、ご飯やおかずが残ったら、ラップするのではなく、蠅帳(はいちょう)(メッシュのフードカバーのこと)を被せていた。プラスチックごみは、あったとしてもごくわずかで、当時はごみの収集もなかった。ほぼ一〇〇%、今でいう循環型の生活だった。

家のぐるりに生活用水の小川があり、母や祖母が野菜や鍋を洗い、洗濯をし、畑で使った鍬や鎌の泥を落としていた。子どもは水遊びをし、夏の夕暮れには蛍が湧くように舞った。それが、私が小学高学年のとき、地区全域の生活用水に重機が入り、三面コンクリート張りになった。苔がふかふかでタニシや小魚のいた小川が、のっぺりとした用水路に変えられていくのを目の当たりにし、子どもながらに憤りをおぼえたことを記憶している。

その憤りというかやるせなさは、たぶん胸の内でずっと燻(くすぶ)っていたのだろう。アメリカンネイチャーライティングに出会った大学院生時代、あのときのモヤモヤが表現を得て思考というかたちを取り始め、こういう文学があるのかと心がざわついた。それ以来エコクリティシズムに従事しているが、読めば読むほど割り切れなさが多元的に増殖し、文学に先導された思考マラソンを走り続けている。

終章で述べたとおり、成長神話の崩壊後に生まれた世代とともに考え、進歩に絶対的価値を置く思考を再調整することが重要だ。私の場合、その主な実践の場は授業である。学生の授業コメントに、エコクリティシズムが比較的新しい分野だからかもしれないが、と断った上で、教員が学生と同じ目線で問題を見つめ一緒になって考えていることにやりがいを感じる、と書かれていたことがある。走りながら考えているのを見抜かれていたのか、と冷や汗をかいたが、学生がエコクリティシズムに意義を見出したのならば、教員としてこれ以上うれしいことはない。授業と似たようなスタイルをとった本書でも、文学を読んで環境を考えることに手応えを感じていただけたならば本望である。

本書は基本的に書き下ろしだが、既刊の拙著書や拙稿の一部を改訂して使用した箇所がある。1章は「ネイチャーライティング再考」（青山学院大学『英文学思潮』九四号、二〇二一年）、2章は『水の音の記憶』（水声社、二〇一〇年）、3章は『水の音の記憶』、『他火のほうへ』（水声社、二〇一二年）、*Ecocriticism in Japan*（Lexington, 2017 管啓次郎と和氣久明との共編著書）の序章、4章は“Eating Contamination in Japan's Anthropocene Fiction”（『文学と環境』二五号、二〇二二年）、終章は「正常の終焉、思考の再調整」（『思想』小特集・環境人文学、二〇二二年一一月号）と一部内容が重複する。なお、本書の一部は、科学研究費補助金基盤研究（C）：20K00413の助成を受けて実施した研究をもとにしている。

特に若い人たちに読んでもらいたいと思い、原稿段階の内容を、青山学院大学文学部英米文学科のゼミ「グローバル文学演習」、講義「グローバル文学特講」、ならびに立教大学異文化コミュニケーション学部の演習「自然共生特論」で話し、授業中の反応やコメントシートに記された感想を参考にして内容を検証した。この作業の意味は計り知れず、受講生に感謝している。学生目線で母親の原稿を読んで感想をくれた美砂と壱政にもお礼を言う。また、全原稿を読み助言してくださった博学多識な大豆井戸さんに心からお礼を申し上げる。

本書は岩波書店第一編集部の北城玲奈さんの提案から生まれたものである。二年以上にわたって併走してくださった北城さんに最大限の感謝を捧げたい。

二〇二三年四月

結城正美

岩波新書/最新刊から

1979 **医療と介護の法律入門** 児玉安司 著
医療安全、医療のキーパーソンと後見人制度、医療データの利活用、人生最終段階の医療などの法制度を国内外の例とともに語る。

1980 **新・金融政策入門** 湯本雅士 著
基礎編では金融政策とは何かを解説し、政策編では中央銀行の政策運営を吟味する。初学者から今後の日本経済を占う実務家まで必見。

1981 **女性不況サバイバル** 竹信三恵子 著
コロナ禍の下、女性たちの雇用危機はいかに蔑ろにされたか。日本社会の「六つの仕掛け」を洗い出し、当事者たちの闘いをたどる。

1982 **パリの音楽サロン** ―ベルエポックから狂乱の時代まで― 青柳いづみこ 著
サロンはジャンルを超えた若い芸術家たちが才能を響かせ合い、新しい芸術を作る舞台だった。パリの芸術家たちの交流を描く。

1983 **桓武天皇** ―決断する君主― 瀧浪貞子 著
二度の遷都と東北経営、そして弟・早良親王との確執を乗り越えた、類い稀なる決断力。「造作と軍事の天皇」の新たな実像を描く。

1984 **ハイチ革命の世界史** ―奴隷たちがきりひらいた近代― 浜忠雄 著
反レイシズム・反奴隷制・反植民地主義を掲げ近代の一大画期となったこの革命と、苦難にみちたその後を世界史的視座から叙述。

1985 **アマゾン五〇〇年** ―植民と開発をめぐる相剋― 丸山浩明 著
各時代の列強の欲望が交錯し、激しい覇権争いが繰り広げられてきたアマゾン。特異な大地のグローバルな移植民の歴史を俯瞰する。

1986 **トルコ** 建国一〇〇年の自画像 内藤正典 著
世俗主義の国家原則をイスラム信仰と整合させる困難な道を歩んできたトルコ。その波乱の過程を、トルコ研究の第一人者が繙く。

(2023.9)

岩波新書より

認知症フレンドリー社会　徳田雄人
アナキズム　一丸となってバラバラに生きろ　栗原康
まちづくり都市 金沢　山出保
総介護社会　小竹雅子
賢い患者　山口育子
住まいで「老活」　安楽玲子
現代社会はどこに向かうか　見田宗介
EVと自動運転　クルマをどう変えるか　鶴原吉郎
ルポ 保育格差◆　小林美希
棋士とAI　王銘琬
科学者と軍事研究　池内了
原子力規制委員会　新藤宗幸
東電原発裁判　添田孝史
日本問答　田中優子・松岡正剛
日本の無戸籍者　井戸まさえ
〈ひとり死〉時代のお葬式とお墓　小谷みどり
町を住みこなす　大月敏雄

歩く、見る、聞く 人びとの自然再生　宮内泰介
対話する社会へ　暉峻淑子
悩みいろいろ　金子勝
魚と日本人 食と職の経済学　濱田武士
ルポ 貧困女子　飯島裕子
鳥獣害 動物たちと、どう向きあうか　祖田修
科学者と戦争　池内了
新しい幸福論　橘木俊詔
ブラックバイト 学生が危ない　今野晴貴
原発プロパガンダ　本間龍
ルポ 母子避難　吉田千亜
日本にとって沖縄とは何か　新崎盛暉
日本病 長期衰退のダイナミクス◆　金子勝・児玉龍彦
雇用身分社会　森岡孝二
生命保険とのつき合い方◆　出口治明
ルポ にっぽんのごみ　杉本裕明
鈴木さんにも分かるネットの未来　川上量生

地域に希望あり◆　大江正章
世論調査とは何だろうか◆　岩本裕
フォト・ストーリー 沖縄の70年　石川文洋
ルポ 保育崩壊　小林美希
多数決を疑う 社会的選択理論とは何か　坂井豊貴
アホウドリを追った日本人　平岡昭利
朝鮮と日本に生きる　金時鐘
被災弱者　岡田広行
農山村は消滅しない　小田切徳美
復興〈災害〉　塩崎賢明
「働くこと」を問い直す　山崎憲
原発と大津波 警告を葬った人々　添田孝史
縮小都市の挑戦　矢作弘
福島原発事故 被災者支援政策の欺瞞　日野行介
日本の年金◆　駒村康平
食と農でつなぐ 福島から◆　塩谷弘康・岩崎由美子
過労自殺〔第二版〕◆　川人博

(2023. 7)　◆は品切，電子書籍版あり．(D2)

岩波新書より

社会

- 女性不況サバイバル　竹信三恵子
- パリの音楽サロン　青柳いづみこ
- 持続可能な発展の話　宮永健太郎
- 皮革とブランド 変化するファッション倫理　西村祐子
- 動物がくれる力 教育、福祉、そして人生　大塚敦子
- 政治と宗教　島薗進編
- 超デジタル世界　西垣通
- 現代カタストロフ論　金子勝 児玉龍彦
- 「移民国家」としての日本　宮島喬
- 迫りくる核リスク 〈核抑止〉を解体する　吉田文彦
- 記者がひもとく「少年」事件史　川名壮志
- 中国のデジタルイノベーション　小池政就
- これからの住まい　川崎直宏
- 検察審査会　デイビッド・T・ジョンソン 平山真理 福来寛
- ドキュメント〈アメリカ世〉の沖縄　宮城修
- 東京大空襲の戦後史　栗原俊雄
- 土地は誰のものか　五十嵐敬喜
- 民俗学入門　菊地暁
- 企業と経済を読み解く小説50　佐高信
- 視覚化する味覚　久野愛
- ロボットと人間 人とは何か　石黒浩
- ジョブ型雇用社会とは何か　濱口桂一郎
- 法医学者の使命 「人の死を生かす」ために　吉田謙一
- 異文化コミュニケーション学　鳥飼玖美子
- モダン語の世界へ　山室信一
- 時代を撃つノンフィクション100　佐高信
- 労働組合とは何か　木下武男
- プライバシーという権利　宮下紘
- 地域衰退　宮﨑雅人
- 江戸問答　田中優子 松岡正剛
- 広島平和記念資料館は問いかける　志賀賢治
- コロナ後の世界を生きる　村上陽一郎編
- リスクの正体　神里達博
- 紫外線の社会史　金凡性
- 「勤労青年」の教養文化史　福間良明
- 5G 次世代移動通信規格の可能性　森川博之
- 客室乗務員の誕生　山口誠
- 「孤独な育児」のない社会へ　榊原智子
- 放送の自由　川端和治
- 社会保障再考 〈地域〉で支える　菊池馨実
- 生きのびるマンション　山岡淳一郎
- 虐待死 なぜ起きるのか、どう防ぐか　川崎二三彦
- 平成時代◆　吉見俊哉
- バブル経済事件の深層　奥山俊宏 村山治
- 日本をどのような国にするか　丹羽宇一郎
- なぜ働き続けられない？ 社会と自分の力学　鹿嶋敬
- 物流危機は終わらない　首藤若菜

(2023.7)　◆は品切，電子書籍版あり．　(D1)

環境・地球

情報・メディア

岩波新書より

- 花のある暮らし　栗田　勇
- 読書力　齋藤　孝
- 一億三千万人のための小説教室　高橋源一郎
- 一葉の四季　森まゆみ
- 西遊記　中野美代子
- 中国文章家列伝　井波律子
- 太宰治　細谷　博
- ジェイムズ・ジョイスの謎を解く　柳瀬尚紀
- 三国志演義　井波律子
- 短歌をよむ　俵　万智
- 新しい文学のために　大江健三郎
- 歌い来しかた　わが短歌戦後史　近藤芳美
- 万葉群像　北山茂夫
- 新 折々のうた 1〜9◆　大岡　信
- 続 折々のうた　大岡　信
- 詩への架橋　大岡　信
- アメリカ感情旅行　安岡章太郎
- 読書論　小泉信三

- 黄表紙・洒落本の世界　水野　稔
- 詩の中にめざめる日本　真壁　仁編
- 日本の現代小説　中村光夫
- 日本の近代小説　中村光夫
- 平家物語◆　石母田正
- 源氏物語　秋山　虔
- 古事記の世界◆　西郷信綱
- 日本文学の古典〔第二版〕◆　西郷信綱・永積安明・広末　保
- 李白　A・ウェイリー　小川環樹・栗山稔訳
- 新唐詩選　吉川幸次郎・三好達治
- 中国文学講話　倉石武四郎
- ギリシア神話◆　高津春繁
- 文学入門　桑原武夫
- 万葉秀歌 上・下　斎藤茂吉

岩波新書より

文学

川端康成 孤独を駆ける　十重田裕一
いちにち、古典 〈とき〉をめぐる日本文学誌　田中貴子
芭蕉のあそび　深沢眞二
森鷗外 学芸の散歩者　中島国彦
万葉集に出会う　大谷雅夫
大岡信 架橋する詩人　大井浩一
源氏物語を読む　高木和子
『失われた時を求めて』への招待　吉川一義
三島由紀夫 悲劇への欲動　佐藤秀明
有島武郎　荒木優太
ジョージ・オーウェル　川端康雄
大岡信『折々のうた』選 詩と歌謡　蜂飼耳編
大岡信『折々のうた』選 短歌㈠・㈡　水原紫苑編
大岡信『折々のうた』選 俳句㈠・㈡　長谷川櫂編

日曜俳句入門　吉竹純
短篇小説講義〔増補版〕　筒井康隆
日本の同時代小説　斎藤美奈子
武蔵野をよむ　赤坂憲雄
中原中也 沈黙の音楽　佐々木幹郎
戦争をよむ 70冊の小説案内　中川成美
夏目漱石と西田幾多郎　小林敏明
『レ・ミゼラブル』の世界　西永良成
北原白秋 言葉の魔術師　今野真二
漱石のこころ　赤木昭夫
夏目漱石　十川信介
村上春樹は、むずかしい◆　加藤典洋
「私」をつくる 近代小説の試み　安藤宏
現代秀歌　永田和宏
言葉と歩く日記　多和田葉子
近代秀歌　永田和宏
杜甫　川合康三
古典力　齋藤孝

和本のすすめ　中野三敏
老いの歌　小高賢
魯迅◆　藤井省三
ラテンアメリカ十大小説　木村榮一
正岡子規 言葉と生きる　坪内稔典
白楽天　川合康三
ぼくらの言葉塾　ねじめ正一
季語の誕生　宮坂静生
和歌とは何か　渡部泰明
小林多喜二　ノーマ・フィールド
いくさ物語の世界　日下力
漱石 母に愛されなかった子　三浦雅士
アラビアンナイト　西尾哲夫
小説の読み書き　佐藤正午
季語集◆　坪内稔典
学力を育てる　志水宏吉
森鷗外 文化の翻訳者　長島要一
英語でよむ万葉集◆　リービ英雄
源氏物語の世界　日向一雅

(2023.7)　◆は品切，電子書籍版あり．(P1)

岩波新書新赤版一〇〇〇点に際して

ひとつの時代が終わったと言われて久しい。だが、その先にいかなる時代を展望するのか、私たちはその輪郭すら描きえていない。二〇世紀から持ち越した課題の多くは、未だ解決の緒を見つけることのできないままであり、二一世紀が新たに招きよせた問題も少なくない。グローバル資本主義の浸透、憎悪の連鎖、暴力の応酬――世界は混沌として深い不安の只中にある。

現代社会においては変化が常態となり、速さと新しさに絶対的な価値が与えられた。消費社会の深化と情報技術の革命は、種々の境界を無くし、人々の生活やコミュニケーションの様式を根底から変容させてきた。ライフスタイルは多様化し、一面では個人の生き方をそれぞれが選びとる時代が始まっている。同時に、新たな格差が生まれ、様々な次元での亀裂や分断が深まっている。社会や歴史に対する意識が揺らぎ、普遍的な理念に対する根本的な懐疑や、現実を変えることへの無力感がひそかに根を張りつつある。そして生きることに誰もが困難を覚える時代が到来している。

しかし、日常生活のそれぞれの場で、自由と民主主義を獲得し実践することを通じて、私たち自身がそうした閉塞を乗り超え、希望の時代の幕開けを告げてゆくことは不可能ではあるまい。そのために、いま求められていること――それは、個と個の間で開かれた対話を積み重ねながら、人間らしく生きることの条件について一人ひとりが粘り強く思考することではないか。その営みの糧となるものが、教養に外ならないと私たちは考える。歴史とは何か、よく生きるとはいかなることか、世界そして人間はどこへ向かうべきなのか――こうした根源的な問いとの格闘が、文化と知の厚みを作り出し、個人と社会を支える基盤としての教養となった。まさにそのような教養への道案内こそ、岩波新書が創刊以来、追求してきたことである。

岩波新書は、日中戦争下の一九三八年一一月に赤版として創刊された。創刊の辞は、道義の精神に則らない日本の行動を憂慮し、批判的精神と良心的行動の欠如を戒めつつ、現代人の現代的教養を刊行の目的とする、と謳っている。以後、青版、黄版、新赤版と装いを改めながら、合計二五〇〇点余りを世に問うてきた。そして、いままた新赤版が一〇〇〇点を迎えたのを機に、人間の理性と良心への信頼を再確認し、それに裏打ちされた文化を培っていく決意を込めて、新しい装丁のもとに再出発したいと思う。一冊一冊から吹き出す新風が一人でも多くの読者の許に届くこと、そして希望ある時代への想像力を豊かにかき立てることを切に願う。

（二〇〇六年四月）

結城正美

1969年生まれ．フルブライト大学院留学プログラム奨学生として，ネヴァダ大学リノ校大学院に設置された世界初の「文学と環境」プログラムで学ぶ(Ph.D.)．金沢大学教員を経て，2020年より青山学院大学文学部英米文学科教授．専門はエコクリティシズム，アメリカ文学．著書に，日米の環境文学を論じた『水の音の記憶――エコクリティシズムの試み』，石牟礼道子ら4人の作家のインタビューを交えた『他火のほうへ――食と文学のインターフェイス』(いずれも水声社)，共編書に『文学から環境を考える――エコクリティシズムガイドブック』(勉誠出版)，訳書に，デイヴィッド・エイブラム『感応の呪文――〈人間以上の世界〉における知覚と言語』(論創社・水声社)など．

文学は地球を想像する
――エコクリティシズムの挑戦　　岩波新書(新赤版)1988

2023年9月20日　第1刷発行

著　者　結城正美(ゆうきまさみ)

発行者　坂本政謙

発行所　株式会社 岩波書店
〒101-8002 東京都千代田区一ツ橋2-5-5
案内 03-5210-4000　営業部 03-5210-4111
https://www.iwanami.co.jp/

新書編集部 03-5210-4054
https://www.iwanami.co.jp/sin/

印刷製本・法令印刷　カバー・半七印刷

© YUKI Masami 2023
ISBN 978-4-00-431988-7　　Printed in Japan

引用参照文献

まえがき

石牟礼道子『葭の渚――石牟礼道子自伝』藤原書店，2014 年.
――，イバン・イリイチ「「希望」を語る――小さな世界からのメッセージ」河野信子，田部光子『夢劫の人――石牟礼道子の世界』藤原書店，1992 年，i-xxvii.
エイブラム，デイヴィッド『感応の呪文――〈人間以上の世界〉における知覚と言語』結城正美訳，水声社／論創社，2017 年.
クッツェー，J. M.『動物のいのち』森祐希子，尾関周二訳，大月書店，2003 年.
Hickman, Caroline, Elizabeth Marks, Panu Pihkala, Susan Clayton, R Eric Lewandowski, Elouise E Mayall, Britt Wray, Catriona Mellor, Lise van Susteren. "Climate anxiety in children and young people and their beliefs about government responses to climate change: a global survey." *Lancet Planetary Health* vol.5, issue 12, 2021. DOI: https://doi.org/10.1016/S2542-5196(21)00278-3
Lopez, Barry. *The Rediscovery of North America*. 1990. Vintage, 1992.

序章

グロトフェルティ，シェリル「アメリカのエコクリティシズム――過去，現在，未来」土永孝訳，スロヴィック・野田編，95-112 頁.〔後掲 Glotfelty の一部改変を伴う抄訳〕
スロヴィック，スコット，野田研一編『アメリカ文学の〈自然〉を読む――ネイチャーライティングの世界へ』ミネルヴァ書房，1996 年.
ソルニット，レベッカ『ウォークス――歩くことの精神史』東辻賢治郎訳，左右社，2017 年.
ビュエル，ローレンス『環境批評の未来――環境危機と文学的想像力』伊藤詔子，横田由理，吉田美津，三浦笙子，塩田弘訳，音羽書房鶴見書店，2007 年.
モートン，ティモシー『自然なきエコロジー――来たるべき環境哲学に向けて』篠原雅武訳，以文社，2018 年.
Garrard, Greg. *Ecocriticism*. 2nd edition. Routledge, 2012.
Glotfelty, Cheryll. "Literary Studies in an Age of Environmental Crisis." *The Ecocriticism Reader: Landmarks in Literary Ecology*. University of Georgia Press, 1996, xv-xxxvii.

Rueckert, William. "Literature and Ecology: An Experiment in Ecocriticism." *Iowa Review* vol. 9, no. 1, 1978, pp. 71-86.
Soper, Kate. *What is Nature?: Culture, Politics and the Non-Human*. Wiley-Blackwell, 1995.
———. "Future culture: Realism, humanism and the politics of nature." *Radical Philosophy* 102, 2000, pp. 17-26.

1章

今福龍太『ヘンリー・ソロー――野生の学舎』みすず書房，2016年．
シートン，アーネスト・T『オオカミ王ロボ』今泉吉晴訳，童心社，2009年．
ソロー，ヘンリー・デイヴィッド『森の生活　ウォールデン』上下，飯田実訳，岩波文庫，1995年．
――『市民の反抗　他五篇』飯田実訳，岩波文庫，1997年．
ターナー，フレデリック・ジャクソン「アメリカ史におけるフロンティアの意義」西崎京子訳，『アメリカ古典文庫9　フレデリック・J・ターナー』研究社，1975年，63-93頁．
信岡朝子『快楽としての動物保護――『シートン動物記』から『ザ・コーヴ』へ』講談社選書メチエ，2020年．
ライアン，トーマス・J『この比類なき土地――アメリカン・ネイチャーライティング小史』村上清敏訳，英宝社，2000年．
リゴーニ・ステルン，マーリオ『野生の樹木園』志村啓子訳，みすず書房，2007年．
レオポルド，アルド『野生のうたが聞こえる』新島義昭訳，講談社学術文庫，1997年．
Berger, John. *Pig Earth*. 1979. Vintage, 1992.
———. "Towards understanding peasant experience." *Race & Class*, vol. 19, no. 4, 1978, pp. 345-359.
Berry, Wendell. *Farming: A Handbook*. A Harvest Book, 1971.
Knopp, Lisa. "Ernest Thompson Seton." *American Nature Writers*, vol. II, Charles Scribner's Sons, 1996, pp. 805-816.
Nijhuis, Michelle. *Beloved Beast: Fighting for Life in an Age of Extinction*. Norton, 2021.
Sanders, Scott Russell. "Speaking a Word for Nature." *Michigan Quarterly Review*, vol. 26, no. 4, 1987, pp. 648-662.

2章

赤坂真理『愛と暴力の戦後とその後』講談社現代新書，2014年．

池澤夏樹『母なる自然のおっぱい』1992年，新潮社(新潮文庫，1996年).
ウィリアムス，テリー・テンペスト『大地の時間――アメリカの国立公園，わが心の地形図』伊藤詔子，岩政伸治，佐藤光重訳，彩流社，2019年.
エンデ，ミヒャエル『モモ』大島かおり訳，岩波書店，2005年.
大澤善信「惑星的都市化時代の空間と場所」橋本和孝，吉原直樹，速水聖子編著『コミュニティ思想と社会理論』東信堂，2021年，76-101頁.
川端美季「清潔の指標――習慣と国民性が結びつけられるとき」『現代思想』第46巻第7号(緊急特集・感染／パンデミック)，2020年，170-176頁.
クセルゴン，ジュリア『自由・平等・清潔――入浴の社会史』鹿島茂訳，河出書房新社，1992年.
コルタサル，フリオ「南部高速道路」木村榮一訳『短篇コレクションI』(池澤夏樹=個人編集 世界文学全集III-05)河出書房新社，2010年，5-37頁.
サロ=ウィワ，ケン『ナイジェリアの獄中から――「処刑」されたオゴニ人作家，最後の手記』福島富士男訳，スリーエーネットワーク，1996年.
新海均『いのちの旅人　評伝・灰谷健次郎』河出書房新社，2017年.
管啓次郎，カレン・テイ・ヤマシタ「「わたし，キティ」をめぐって――カレン・テイ・ヤマシタとの対話」小谷一明，巴山岳人，結城正美，豊里真弓，喜納育江編『文学から環境を考える――エコクリティシズム ガイドブック』勉誠出版，2014年，12-27頁.
大黒岳彦『「情報社会」とは何か？――〈メディア〉論への前哨』NTT出版，2010年.
ディキンスン，エミリー『色のない虹　対訳エミリー・ディキンスン詩集』野田壽編訳，ふみくら書房，1996年.
デイヴィス，マイク『要塞都市LA』村山敏勝，日比野啓訳，青土社，2001年.
中川久定「底流としての「ルソーとロマン主義」」『現代思想』臨時増刊(総特集=ルソー)第7巻第16号，1979年，16-31頁.
中村邦生『書き出しは誘惑する――小説の楽しみ』岩波ジュニア新書，2014年.
野田研一『失われるのは，ぼくらのほうだ――自然・沈黙・他者』水声社，2016年.
灰谷健次郎『兎の眼』1974年(角川文庫，2021年).
『ヴィルンガ』オーランド・ボン・アインシーデル監督，2014年.
マリス，エマ『「自然」という幻想――多自然ガーデニングによる新しい

自然保護』岸由二，小宮繁訳，草思社，2018 年.
養老孟司，宮崎駿『虫眼とアニ眼』2002 年(新潮文庫，2008 年).
Adamson, Joni, Mei Mei Evans, and Rachel Stein, editors. *The Environmental Justice Reader: Politics, Poetics, and Pedagogy*. University of Arizona Press, 2002.
Armbruster, Karla. "Nature Writing." *Keywords for Environmental Studies*. Edited by Joni Adamson, William A. Gleason, and David N. Pellow. New York University Press, 2016, pp. 156-158.
Buell, Lawrence. *The Environmental Imagination: Thoreau, Nature Writing, and the Formation of American Culture*. Harvard University Press, 1995.
Gandy, Matthew. "Urban Nature and the Ecological Imaginary." *In the Nature of Cities: Urban Political Ecology and the Politics of Urban Metabolism*. Edited by Nik Heynen, Maria Kaika, and Erik Swyngedouw. Routledge, 2006, pp. 63-74.
Horn, Eva, and Hannes Bergthaller. *The Anthropocene: Key Issues for the Humanities*. Routledge, 2020.
Nixon, Rob. *Slow Violence and the Environmentalism of the Poor*. Harvard University Press, 2011.
——. "Environmentalism and Postcolonialism." 2005. Reprinted in *Ecocriticism: The Essential Reader*. Edited by Ken Hiltner. Routledge, 2014.
Pyle, Robert Michael. "The Extinction of Experience." *The Thunder Tree: Lessons from an Urban Wildland*. 1993. Oregon State University Press, 2011, pp.130-141〔類似内容の邦訳エッセイに，ロバート・マイケル・パイル「経験の絶滅――都市の自然から学ぶ」小谷一明訳(山里勝己他編『自然と文学のダイアローグ』彩流社，2004 年，197-206 頁)がある〕.
Sheffer, Jolie A. *Understanding Karen Tei Yamashita*. South Carolina Press, 2020.
Voie, Christian Hummelsund. "Nature Writing in the Anthropocene." *Routledge Handbook of Ecocriticism and Environmental Communication*. Edited by Scott Slovic, Swarnalatha Rangarajan, and Vidya Sarveswaran. Routledge, 2019, pp. 199-210.
Yamashita, Karen Tei. *Tropic of Orange*. Coffee House Press, 1997.

3 章

アガンベン，ジョルジョ『ホモ・サケル――主権権力と剝き出しの生』高桑和巳訳，以文社，2003 年.
池田清彦『生物多様性を考える』中公選書，2012 年.

石牟礼道子『苦海浄土――わが水俣病』1969年(講談社文庫，1972年，新装版，2004年).
――『椿の海の記』1976年(河出文庫，2013年).
――「水俣湾漁民のルポルタージュ　奇病」『サークル村』1960年1月，34-48頁.
――「名残りの世」1983年『石牟礼道子全集　不知火』第10巻，藤原書店，2006年，354-88頁.
――，イバン・イリイチ「「希望」を語る」(「まえがき」参照)
――，上野英信「『苦海浄土』来し方行く末」1973年，『苦海浄土ほか，第三部・関連エッセイほか』〈石牟礼道子全集・不知火〉第3巻，2004年，藤原書店，511-31頁.
緒方正人『チッソは私であった』2001年(河出文庫，2020年).
奥野克巳「モア・ザン・ヒューマン――人新世の時代におけるマルチスピーシーズ民族誌と環境人文学」奥野克巳，近藤祉秋，ナターシャ・ファイン編『モア・ザン・ヒューマン――マルチスピーシーズ人類学と環境人文学』以文社，2021年，3-32頁.
カーソン，レイチェル『沈黙の春』青樹簗一訳，1964年(新潮文庫，1974年)〔日本語訳初出時のタイトルは『生と死の妙薬――自然均衡の破壊者〈化学薬品〉』〕.
カリス，ヨルゴス，スーザン・ポールソン，ジャコモ・ダリサ，フェデリコ・デマリア『なぜ，脱成長なのか――分断・格差・気候変動を乗り越える』上原裕美子，保科京子訳，NHK出版，2021年.
環境省自然環境局『人と自然の共生をめざして』2009年. https://www.env.go.jp/nature/pamph/index.html(閲覧日2022年4月15日)
――『自然との共生を目指して』2015年(2020年改訂). https://www.env.go.jp/nature/saisei/relate/pamph/kyousei/(同上)
――『いのちは創れない　新・生物多様性国家戦略』2002年.
――『いのちは支えあう　生物多様性国家戦略2010』(英語版 *Biodiversity is Life Biodiversity is our Life*)2010年. https://www.biodic.go.jp/biodiversity/about/library/nbsap2010_pamphlet.html(同上)
――『豊かな自然共生社会の実現に向けて　生物多様性国家戦略2012-2020』(英語版 *Living in harmony with nature*)2012年. https://www.biodic.go.jp/biodiversity/about/library/nbsap2012-2020_pamphlet.html(同上)
環境庁自然保護局『すべての生きものが共生できる地球環境をめざして　生物多様性国家戦略』1996年. http://www.env.go.jp/nature/biodic/eap60/index.html(同上)
桑原史成『水俣事件――桑原史成写真集』藤原書店，2013年.

塩野米松『失われた手仕事の思想』2001年(中公文庫，2008年).
シラネ，ハルオ『四季の創造——日本文化と自然観の系譜』北村結花訳，角川選書，2020年.
中沢新一『純粋な自然の贈与』1996年(講談社学術文庫，2009年).
梨木香歩『西の魔女が死んだ』1994年(新潮文庫，2001年).
——『からくりからくさ』1999年(新潮文庫，2001年).
——『雪と珊瑚と』2012年(角川文庫，2015年).
——『ほんとうのリーダーのみつけかた　増補版』岩波現代文庫，2022年.
バタイユ，ジョルジュ『宗教の理論』湯浅博雄訳，ちくま学芸文庫，2002年.
原田正純『水俣病』岩波新書，1972年.
ペルクゼン，ウヴェ『プラスチック・ワード——歴史を喪失したことばの蔓延』糟谷啓介訳，藤原書店，2007年.
結城正美『他火のほうへ——食と文学のインターフェイス』水声社，2012年.
ラトゥーシュ，セルジュ『脱成長』中野佳裕訳，白水社，2020年.
渡辺京二「石牟礼道子の世界」石牟礼『苦海浄土』364-386頁.
Allen, Bruce, and Yuki Masami, editors. *Ishimure Michiko's Writing in Ecocritical Perspective: Between Sea and Sky*. Lexington, 2015.
Miller, Ian Jared, Julia Adeney Thomas, and Brett L. Walker, editors. *Japan at Nature's Edge: The Environmental Context of a Global Power*. University of Hawai'i Press, 2013.
Okakura, Kakuzo. *The Book of Tea*. Duffield and Company, 1906.
Saito, Yuriko. "The Japanese Appreciation of Nature." *British Journal of Aesthetics*, vol. 25, no. 3, 1985, pp. 239-251.
Thornber, Karen. *Ecoambiguity: Environmental Crises and East Asian Literatures*. University of Michigan Press, 2012.
United Nations. "Harmony with Nature." http://www.harmonywithnatureun.org/(閲覧日2023年3月31日)

4章

アシモフ，アイザック『われはロボット』小尾芙佐訳，早川書房，2004年.
アレクシエーヴィチ，スヴェトラーナ『完全版　チェルノブイリの祈り——未来の物語』松本妙子訳，岩波書店，2021年.
池澤夏樹『楽しい終末』1993年(文春文庫，1997年).
イシグロ，カズオ『クララとお日さま』土屋政雄訳，早川書房，2021年.

石黒浩『ロボットと人間』岩波新書，2021年．

ヴォウチェク，オルギェルト『キュリー夫人』小原いせ子訳，恒文社，1993年．

『WALL・E』アンドリュー・スタントン監督，2008年．

岡田美智男『ロボット――共生に向けたインタラクション』東京大学出版会，2022年．

キマラー，ロビン・ウォール『植物と叡智の守り人――ネイティブアメリカンの植物学者が語る科学・癒し・伝承』三木直子訳，築地書館，2018年．

木村朗子『その後の震災後文学論』青土社，2018年．

ゴーシュ，アミタヴ『大いなる錯乱――気候変動と〈思考しえぬもの〉』三原芳秋，井沼香保里訳，以文社，2022年．

コッチャ，エマヌエーレ『メタモルフォーゼの哲学』松葉類，宇佐美達朗訳，勁草書房，2022年．

小林エリカ『マダム・キュリーと朝食を』2014年(集英社文庫，2018年)．

――『光の子ども』1，2，3，リトルモア，2013年，2016年，2019年．

シマード，スザンヌ『マザーツリー――森に隠された「知性」をめぐる冒険』三木直子訳，ダイヤモンド社，2023年．

シルヴァスタイン，シェル『おおきな木』村上春樹訳，あすなろ書房，2010年．

スピヴァク，ガヤトリ・チャクラヴォルティ『ある学問の死――惑星思考の比較文学へ』上村忠男，鈴木聡訳，みすず書房，2004年．

『ストーカー』アンドレイ・タルコフスキー監督，1979年．

多和田葉子「献灯使」『群像』第69巻第8号，2014年(講談社文庫，2017年，7-161頁)．

ディック，フィリップ・K『時間飛行士へのささやかな贈物』浅倉久志他訳，ハヤカワ文庫，1991年．

チャペック，カレル『ロボット(R. U. R.)』千野栄一訳，岩波文庫，1989年．

マキューアン，イアン『恋するアダム』村松潔訳，新潮社，2021年．

パワーズ，リチャード『オーバーストーリー』木原善彦訳，新潮社，2019年．

ハラウェイ，ダナ『伴侶種宣言――犬と人の「重要な他者性」』永野文香訳，以文社，2013年．

『ブレードランナー』リドリー・スコット監督，1982年．

マニス，クリストファー「自然と沈黙――思想史のなかのエコクリティシズム」城戸光世訳，ハロルド・フロム他『緑の文学批評――エコクリティシズム』伊藤詔子他訳，松柏社，1998年，35-62頁．

結城正美『他火のほうへ』(3章参照)
ラッセル『幸福論』安藤貞雄訳，岩波文庫，1991年.
ラトゥール，ブリュノ『社会的なものを組み直す――アクターネットワーク理論入門』伊藤嘉高訳，法政大学出版局，2019年.
リンチ，ケヴィン『廃棄の文化誌――ゴミと資源のあいだ』有岡孝，駒川義隆訳，工作舎，1994年，新装版，2008年.
ロング，マルゲリータ「人間家族より，多種と連れ立て！――木村友祐作品と小林エリカ作品の母系をたどる」小田透訳，木村朗子，アンヌ・バヤール＝坂井編著『世界文学としての〈震災後文学〉』明石書店，2021年，437-75頁.
Dr. Seuss, *The Lorax*, Random House, 1971.
Morton, Timothy. *Hyperobjects: Philosophy and Ecology after the End of the World*. University of Minnesota press, 2013.
Richardson, Kathleen. *An Anthropology of Robots and AI: Annihilation Anxiety and Machines*. Routledge, 2015.
Tawada, Yoko. *The Emissary*. Translated by Margaret Mitsutani. New Directions, 2018.

終章

ウィリアムス，テリー・テンペスト『大地の時間』(2章参照)
ウォレス・ウェルズ，デイヴィッド『地球に住めなくなる日――「気候崩壊」の避けられない真実』藤井留美訳，NHK出版，2020年.
奥野克巳「明るい人新世，暗い人新世――マルチスピーシーズ民族誌から眺める」『現代思想』第45巻第22号，2017年，76-87頁.
ゴーシュ，アミタヴ『大いなる錯乱』(4章参照)
鴻巣友季子『文学は予言する』新潮選書，2022年.
ソロー，ヘンリー・デイヴィッド『森の生活』(1章参照)
多和田葉子「献灯使」(4章参照)
パワーズ，リチャード『オーバーストーリー』(4章参照)
――『惑う星』木原善彦訳，新潮社，2022年.
マッカーシー，コーマック『ザ・ロード』黒原敏行訳，2008年(ハヤカワepi文庫，2010年).
ラトゥール，ブルーノ『地球に降り立つ――新気候体制を生き抜くための政治』川村久美子訳，新評論，2019年.
Whyte, Kyle Powys. “Is it colonial déjà vu?: Indigenous peoples and climate injustice.” *Humanities for the Environment: Integrating Knowledge, Forging New Constellations of Practice*. Edited by Joni Adamson and Michael Davis. Routledge, 2017, pp. 88-105.